Bodo Dringenberg
Kleiner Tod im Großen Garten

Bodo Dringenberg

Kleiner Tod im Großen Garten

Kurzkrimis

Herausgegeben von Susanne Mischke

*Für Anneke
und die Wasserbiergruppe*

© 2009 zu Klampen Verlag · Röse 21 · D-31832 Springe
info@zuklampen.de · www.zuklampen.de

Umschlag: Angelika Konietzny (www.izwd.de)
Satz: thielenVERLAGSBÜRO, Hannover
Druck: CPI - Clausen & Bosse, Leck

ISBN 978-3-86674-045-7

Bibliografische Information Der Deutschen Bibliothek
Die Deutsche Bibliothek verzeichnet diese Publikation in der
Deutschen Nationalbibliografie; detaillierte bibliografische
Daten sind im Internet über ‹http://dnb.ddb.de› abrufbar.

Inhalt

Kleiner Tod im Großen Garten 7

Listen-Schnitte 27

Schüsse auf der Allee 55

Linden auf Baltrum 103

Kleiner Tod
im Großen Garten

> Lass den Schnee gewölbter Brüste
> Meine Totenbahre sein
> *Johann Christian Günther*

Ein schwül-feuchter Spätsommermorgen lastet auf Hannovers Großem Garten. Bis auf den blutroten Streifen am Osthimmel ist es noch düster. Vom Westen her nähert sich dumpfes Wummern; Keuchen, Japsen, geflüsterte Wortbrocken, unterdrückte Schreie sind im grünen Gartenbereich des barocken Parks zu vernehmen. Die Geräusche von nah und fern werden lauter, mischen, überlagern und verdichten sich. Einer von zweien scheint gleich so weit zu sein, denkt der im Grünen Lauernde.

Draußen, am östlichen Außenrand der Graft, die mit ihrem Wasser den Großen Garten wie ein U umfängt, liegt dick eingehüllt ein Mann. Ein hochgewachsener Streifen aus Brennnesseln und Schilf schirmt ihn vom Park aus ab. Vor patrouillierenden Polizeiwagen gewährt ihm der Graftdeich völligen Sichtschutz. Plötzlich lärmen Enten und Teichhühner, ein Schwan faucht böse auf, ein Blitz zuckt und Donnergrollen hallt nach. Der Aufgeschreckte erhebt sich mitsamt seinem Schlafsack, schiebt dessen Kapuze vom Kopf und angelt sich seine Brille. Fast vor ihm, inmitten dieser dämmerigen Kakophonie, steigt eine schlanke, langhaarige Frau aus dem mit Teichrosen dicht bedeckten Wasser. Triefend, mit Blättern, Schleimfäden und Stängeln drapiert, schluchzt sie mehrfach auf und rennt tropfensprühend davon, Richtung Bahnhaltestelle.

»Undine«, ächzt der Obdachlose, seine schon lange verschüttete Bildung mobilisierend. Er setzt seinen ramponierten Zylinder auf und stiert der davonstiebenden Wasserfrau nach, bis sie hinter dem Deich verschwunden ist. Anscheinend hat sie ihn nicht bemerkt. Der Lärm der Wasservögel ebbt ab, anschwellendes Donnergrollen überlagert ihn. Der Schlafsackbewohner, nun hellwach geworden, blickt nachdenklich zum Großen Garten hinüber, während heftig der Regen einsetzt.

Etwas später, gegen halb acht Uhr morgens. Der Große Garten dampft in der bereits wärmenden Morgensonne. »So, dann wollen wir mal wieder an die Hecken!«, muntert der Gärtner seine kleine Gruppe saisonaler Hilfskräfte auf. Die Hainbuchenhecken im grünen Teil des Großen Gartens müssen von innen beschnitten werden.

Hoffentlich sind diese sperrigen Hecken nicht mehr so feucht, denkt die studentische Aushilfsgärtnerin, während sie die elektrische Heckenschere und ihren Rucksack aufnimmt. Auch nächtlicher Regen ist schlecht, denn immer wieder schaltet sich dann ihr Arbeitsgerät ab, und sie schafft kaum ihr Arbeitssoll. Ansonsten macht die Biologiestudentin diese Arbeit als Saisonhilfe ziemlich gern, zählt sie doch zu den wenigen, die einen guten Job in den Semesterferien ergattern konnten. Sie macht sich auf den Weg, der durch die Rabatten und Boskette direkt zur Großen Fontäne führt. Wie jeden Morgen grüßt sie kopfnickend nach links zur steinernen Kurfürstin Sophie.

An deren Denkmal vorbei strebt sie weiter entlang der Längsachse des Parks auf den Riesenspringbrunnen zu. Gleich der erste grüne Triangel links vor ihm, das ist heute ihr Arbeitsplatz. Die junge Frau stutzt, als sie die beiden Eingangspfeiler des Dreiecks passiert hat. Nach wenigen Schritten hält sie inne. Ein Schrei will aus ihrem Mund brechen, aber sie dämpft ihn mit dem rechten Handrücken und greift mit der Linken mechanisch zu ihrem Mobiltelefon.

»Also, mein vorläufiger Befund: Der Tote da vorn ist so Mitte vierzig. Er wurde auf dem Bauch liegend aufgefunden. Todesursächlich ist wahrscheinlich das große komische, äh, konische Loch im Hinterkopf, herbeigeführt durch einen sehr harten, kantigen Gegenstand. Bisher ist allerdings keinerlei Spur von ihm in der vermutlich letalen Wunde oder um sie herum zu finden. Der Mann dürfte nach der schweren Traumatisierung sofort tot gewesen sein. Das muss vor etwa vier bis sechs Stunden passiert sein. Alle weiteren Delikatessen erfahren Sie morgen.«

Mit gerunzelter Stirn hört sich die Hauptkommissarin das vorläufige Fazit des nach ihrem Geschmack immer etwas zu witzigen ärztlichen Fachmanns an. »Und sonst, was gibt's sonst noch, vielleicht auffällige Spuren?«

»Spuren vom Tathergang? Na, Sie sind gut! Da ist nicht viel übrig nach dem heftigen Gewitter, dem Sturzregen und der Hageleinlage mit anschließendem Sonnenschein. Der Verblichene hat, mit Verlaub, tatsächlich eine postmortale Gehirnwäsche bekommen, mal was ganz Neues. Tchaa, und alles Übrige wie üblich ab morgen nach der Obduktion.«

Die Hauptkommissarin sieht ihren jüngeren Mitarbeiter auffordernd an, der prompt loslegt: »Na ja, der Boden drumherum ist auch regengeputzt, verwertbare Fußspuren hat nur diese Aushilfsgärtnerin hinterlassen, die den Erschlagenen gefunden hat. Die steht übrigens da hinten am Toreingang, diese Rothaarige.«

Die Kriminalbeamtin geht um sich blickend langsam auf den Tatort zu, aufmerksam den weiteren Ausführungen ihres Kollegen lauschend. Genervt resümiert sie: »Ist ja reizend. Keine Spuren, kein Perso, kein Zettelchen mehr da – gar nix. Und seine Geldbörse fehlt natürlich auch, ist ja klar. Sieht eigentlich nach Raubmord aus, ist aber ein zu komischer Platz dafür.«

»Der Obduzierte ist ziemlich genau gegen fünf Uhr gestorben. Zum Zeitpunkt der tödlichen Kopfverletzung dürfte er auf dem Bauch gelegen haben. Er wurde kurz nach seinem Ableben auf den Rücken gedreht, dann aber wieder auf den Bauch, so, wie er dann gefunden wurde. Seine tiefe, kraterförmige Kopfwunde haben wir genauer untersucht. Wir haben wenig nichthumanes Material gefunden, weil die Öffnung vom Gewitterregen gestern Morgen gründlich ausgespült worden ist. Aufgefallen sind uns Fäkalienreste in der zerstörten Hirnmasse und an den Schädelknochen. Woher die rühren, darüber wissen wir genauso wenig wie über die Zellulosefetzen, die ebenfalls in kleinsten Mengen im traumatisierten Bereich vorliegen.« Der Pathologe beendet seinen Kurzbericht und sieht die beiden Kriminalbeamten erwartungsvoll an.

»Wer dem wohl ins Gehirn geschissen hat?«, wirft der junge Ermittler ein. Die Hauptkommissarin zwingt sich zu einem sehr strengen Ton: »Also bitte, ja. Der Tote ist ein hier sehr angesehener Politiker – gewesen. Etwas mehr Respekt, wenn ich bitten darf. Fahren Sie bitte fort, Doktor.«

»Jedenfalls hat das Opfer bis unmittelbar vor seinem Tod noch Geschlechtsverkehr einschließlich Erguss gehabt, und zwar mit einer Frau. Muss ja gesagt werden, passt nämlich wenig zu der brachialen Schädelfraktur. Durch eine genetische Analyse könnte man vielleicht die Person herausbekommen, mit der er noch bis zu seinem Ableben Verkehr gehabt hat.«

»Aber wer hat ihn umgedreht und ihn wieder zurückgedreht? Seine Sexualpartnerin, ein Raubmörder, ein Totschläger aus Rache, jemand, der Spuren verwischen wollte?«, fragt sich der Kriminalbeamte. Seine Vorgesetzte zuckt bloß mit der Schulter und sagt: »Übrigens haben die Angehörigen und seine Partei bereits heute Morgen zusammen zehntausend Euro Belohnung für die Aufklärung des Todes ausgesetzt, wie ich erfahren habe. Na ja, vielleicht hilft uns so ein Kopfgeld weiter.«

»Draußen steht eine streng riechende Person mit Zylinder, die Sie unbedingt sprechen will, wegen diesem Toten im sechsten Grün dieser Triangeln.«

»Na gut, herein mit ihm.«

Ein vollbärtiger Mann betritt das Büro. Er ist hager, undefinierbaren Alters, etwa zwei Meter groß, trägt einen verbeulten Zylinderhut und wedelt mit dem Titelblatt einer Boulevardzeitung. »Guten Tag, ich habe einiges gesehen vorgestern Nacht. Eine Seejungfrau und einen Brückenkletterer. Und nun komme ich wegen der Belohnung, Frau Kommissarin.«

»Na, nun nehmen Sie erst einmal Platz und geben mir bitte Ihren Ausweis.«

Der Bärtige schiebt ein plastikumhülltes Dokument über den Bürotisch zur Hauptkommissarin.

»So, jetzt setzen Sie Ihren Zylinder ab, damit ich Ihr ganzes Gesicht sehen kann.«

»Dieser Zylinder hier, der gehörte mal dem Chef des Kleinen Festes. Vor kurzem ist mir der zugeflogen, war schon ganz verbeult, der Zylinder.«

»Ja, o. k., nun legen Sie mal los.«

»Ich habe erst eine Frau und dann einen Mann gesehen. Beide kamen morgens, kurz vor dem Gewitter, aus dem Großen Garten. Wahrscheinlich haben die beiden ihn umgebracht, denn die sind kurz nacheinander über die Graft gekommen, da bei den Sportplätzen. Er ist ziemlich geschickt über die Brücke am Absperrgitter vorbei geklettert, sie ist durchs Wasser gelaufen oder geschwommen. Ja, was soll ich sagen, die Lange ist weggepest, als ob sie zur Olympiade wollte. Der Mann kam dann ein bisschen später, hat sich ganz gemütlich vom Acker gemacht. Die müssen's gewesen sein. Lockvogel und Mörder, kennt man ja, oder?«

»Das werden wir ja sehen. Beschreiben Sie die beiden doch mal genauer.«

Außer ein paar weiteren sehr vagen Angaben über beide ist nichts aus diesem Zeugen herauszubekommen. Die Hauptkommissarin beendet die Vernehmung. »Bitte warten Sie draußen, mein Kollege wird von Ihnen die Fingerabdrücke nehmen. Eventuell brauchen wir auch noch eine Speichelprobe von Ihnen. Machen Sie sich klar, dass wir auch Sie genauer unter die Lupe nehmen werden.«

»Jaja, ich kenne das, immer das Gleiche. Denn man los, meinetwegen. Ich bin unschuldig wie ein Engel.«

Gemeinsam mit einem älteren Kriminalbeamten verlässt der Mann das Büro.

»Na, wie reizend, da haben wir ja schon mal drei Verdächtige. Eine große schlanke Frau, einen Mann mittleren Alters und diesen Tramp.«

Das Café ist kurz vor der Mittagszeit schon halb gefüllt. Mit der Hauptkommissarin am Tisch sitzt ein fast bulliger, mittelgroßer Mann mit Bürstenhaarschnitt. Er hat sich telefonisch als »freier Journalist« vorgestellt, der einiges über den Tod im Großen Garten wisse. Noch bevor der Kaffee kommt, hat er sie kurz über sich informiert. Er war einmal beim hiesigen Renommierblatt angestellt gewesen und ist kürzlich wegrationalisiert worden. Ab und zu schreibt er noch für diese Zeitung, ansonsten beliefert er hin und wieder andere Presseorgane mit Recherchen und Informationen. Er schlägt sich finanziell halt so durch.

»Und jetzt der Grund, warum ich Sie um ein informelles Gespräch gebeten habe: Seit ein paar Tagen bin ich mit einer Recherche über das nächtliche Treiben in hannoverschen Parks beschäftigt, für eine große Illustrierte. Sie können da nachfragen – nicht dass Sie mich für einen Voyeur halten! Ich habe mich bei diesem Job fast verliebt in das durchkultivierte Naturareal, diesen wirklichen Lustgarten. Wissen Sie, mein von mir ungeliebter Vater – das beruhte auf Gegenseitigkeit – war Gärtnermeister gewesen, meine frühe Liebe zu zementierten Flächen war die Folge. Wie schön Parks sind, das habe ich erst in den letzten Jahren entdeckt. So ein Garten ist wie außerhalb der Welt. Ich hocke also neulich nachts im grünen Dreieck Nummer fünf und lasse den Großen Garten auf mich einwirken. Um das Beobachten von nächtlichen Paaren geht es mir dabei übrigens nicht. Nein, der Duft, die

Geräusche – die Unwirklichkeit dieses Quasiparadieses macht den besonderen Reiz aus.

Ja, und an jenem Morgen gab's nebenan im grünen Dreieck plötzlich ein tiefes Stöhnen, gefolgt von mehreren hellen Schreien. Nach einigen Minuten Stille rannte schließlich eine Frau aus dem Boskett. Beim Dämmerlicht bemerkte ich natürlich bloß ihre Gestalt und die auffallenden langen, hellen Haare. Irgendwie kam mir die Blondine bekannt vor, die hat irgendetwas mit der Organisation von Kunstausstellungen zu tun, ja, ich glaube sogar, die ist Galeristin, irgendwo in der Innenstadt. Dürfte für Sie leicht rauszukriegen sein, wer die ist. Eine weitere Person habe ich am Ort nicht bemerkt. Aber die könnte sich ja leicht durch eine Lücke in der Hecke an- und wieder weggeschlichen haben. Keine Ahnung. Das betreffende Gründreieck nebenan habe ich selbstverständlich nicht betreten. Ich bin damals von einer Trennung quicklebendiger Menschen ausgegangen, von einem ›kleinen Tod‹, nicht von einem Toten. Vielleicht eine Viertelstunde nachdem die Liebhaberin ihren Lover verlassen hatte, bin ich auch verschwunden. Das Gewitter war ja bedrohlich nah herangekommen und ich wollte nicht, dass der Mann in dem Triangel nebenan mich bemerkt. Ja, und das war's auch schon, was ich dazu sagen kann.«

»Bevor wir uns weiter unterhalten – Ihnen ist hoffentlich bewusst, dass Sie erkennungsdienstlich erfasst werden: Fingerabdrücke, und wenn es nötig ist, werde ich beim Richter eine Speichelprobe beantragen. Geht das klar?«

»Wenn es der Wahrheitsfindung dient – klar geht das.«

»Gut, also die Galeristin dürften wir identifiziert haben, wenn dieser Journalist nicht geflunkert hat. Die werde ich heute noch aufsuchen. Diese Frau ist mindestens Augenzeugin gewesen, wenn nicht gar Täterin. Damit kennen wir die Verdächtige Nummer drei. Na bitte, es läuft doch.«

»Aber vielleicht anders als wir wollen. Hier, gucken Sie mal, eine Schlagzeile in unserem geliebten bilderreichen Mistblatt: ›Ritualmord im Großen Garten?‹ Und weiter unten steht: ›Reste menschlicher Ausscheidungen in der tödlichen Kopfwunde lassen auf einen besonders exotischen Mord aus Rache schließen, wie aus Kreisen der Kripo verlautet. Ein unheimlicher Ritualmord im Lustgarten. Eklige Todesumstände des Arbeitsmarktexperten, Fäkalspuren im eingeschlagenen Kopf‹ und so weiter. – So eine Sauerei, wie kommen die da drauf? Woher haben die das?«

Die Hauptkommissarin fährt sich durch ihre kurzen schwarzen Haare: »Na, von uns nicht, denke ich mal. Da weiß jemand viel mehr, als wir ahnen. Der Journalist kommt übrigens nachher noch mal zur Printabnahme. Den will ich morgen früh in meinem Büro haben, den genauen Zeitpunkt kann er selbst wählen. Mal sehen, was der noch zu bieten hat. Wir ermitteln jedenfalls weiter in alle bisherigen Richtungen. Gründe für einen Mord oder Totschlag, eventuell für einen Raubmord, gibt es bei unseren drei Kandidaten bestimmt.«

»Sie waren vorgestern Nacht im Großen Garten und haben ihn dann fluchtartig, quer durch die Graft hindurch, verlassen. Erklären Sie mir das bitte.«

Die groß gewachsene Frau, Anfang dreißig, schüttelt leicht ihr langes blondes Haar und fragt frostig: »Moment mal, bitte. Können Sie mir sagen, was das soll?«

Die Hauptkommissarin bleibt von der kühlen Reaktion der Galeristin unbeeindruckt. »Sie sind von zwei Zeugen kurz vor Ausbruch des Unwetters gesehen worden. Möchten Sie, dass von Ihnen ein genetischer Fingerabdruck genommen wird? Möchten Sie, dass wir den mit den Spuren im Intimbereich des Toten vergleichen? Oder kommen Sie lieber gleich ins Erzählen?«

»Oh, Scheiße! Nein, nein.« Die blau gekleidete Frau beißt sich auf die Unterlippe. »Entschuldigung. Es ist so schrecklich. Ich hab's gewusst, der Albtraum hört nicht auf. Bitte warten Sie einen Augenblick, ich schließe nur kurz die Eingangstür.«

Sie sei halt von Kunst fasziniert und besonders schätze sie Niki de Saint Phalle, die sie als wunderbar ästhetische Erotomanin geradezu verehre. Und den im Großen Garten Verstorbenen habe sie gekannt, ja. Dieser reife Politiker sei öfter bei Vernissagen und offensichtlich sehr kunstinteressiert gewesen. Er habe ihr schon öfter Avancen gemacht und ihr nun – dank seiner Beziehungen – eine exklusive Nacht in der Niki-de-Saint-Phalle-Grotte versprochen. »Im blauen Raum wie die Tiefe des Himmels und der See«, das müsse doch der Höhepunkt ihrer künstlerisch-erotischen Biografie sein. Erst habe sie diesen Vorschlag albern und zu riskant gefunden, dann aber doch zunehmend Geschmack an ihm gewonnen und schließlich zugestimmt. Ihr sei es dabei mehr um Kunst und Erotik als um schlichten Sex gegangen.

»Verstehen Sie, es geht um Entgrenzung, darum, dem Gemeinen und Banalen zu entrinnen. Vielleicht gelingt ja eine erotisch-künstlerisch perfekte Verkörperung von weiblich und männlich in einer feminin bergenden Höhle.«

Die Hauptkommissarin muss sich anstrengen, dass ihre Gesichtszüge nicht tiefe Zweifel an dieser Erzählung verraten.

»Fly like a bird und discover eternity«, habe er ihr zugeraunt, als sie sich in den Großen Garten schlichen. »Flieg wie ein Vogel und entdecke die Ewigkeit.«

»Na, das hat zumindest er ja getan!«, wirft die Kriminalbeamtin ein. Sie betrachtet die plötzlich verlegene junge Frau, die so gar nichts hat von den prachtvollen Rundungen und üppigen Farbgebungen der Künstlerin. Eher kühl und beherrscht wirkt sie, trotz voller Lippen und ausdrucksvoller grüner Augen. Die scharfe, sichelmondförmige Einkerbung um den rechten Mundwinkel herum signalisiert eine Spur von Härte und Verbitterung.

Sie hätten in seinem geräumigen Audi bei einer Magnumflasche Champagner auf die Nacht gewartet und über die Niederungen des Alltags geplaudert. Der Politiker habe sie dabei zurückhaltend und durchaus zärtlich berührt. Sie habe Vertrauen gewonnen und die Spannung auf das Kommende sei gestiegen.

»In den Garten gelangten wir noch mittels seines Nachschlüssels, aber mit dem Schloss an der Grotte kam er nicht zurande. Als vom Galeriegebäude mit einem leichten Windstoß nicht allein der Duft der dort üppig blühenden Engelstrompeten herüberwehte, sondern auch Hundegebell, zog er mich eilig in den grünen Bereich des Großen Gartens.«

»Und dann kam es zwischen Ihnen und ihm aber doch noch zum Verkehr, da im Boskettdreieck.«

»Ja, er hat mich überredet, verführt, da habe ich nachgegeben.«

»Hat er Sie vergewaltigt?«

»Nein, nein, alles war freiwillig, wenn auch ganz anders, als es in der Grotte hätte werden können.«

»Er hatte seinen Erguss – und was passierte dann?«

»Es krachte, es splitterte irgendwie, er gurgelte auf und lag dann wie tot auf mir. War er ja wohl auch. Ich war erst wie gelähmt. Dann hatte ich furchtbare Angst.«

»Sie müssen doch etwas gesehen haben, Ihr Sexualpartner ist von hinten erschlagen worden, hat also das Gesicht Ihnen zugewandt, und der Täter muss ja dahinter gewesen sein. Verflixt noch mal, nun sagen Sie endlich, was Sie wahrgenommen haben!«

»Also gut, Sie wollen partout intime Details. Na ja, er hat bei der Tötung schon auf dem Rücken gelegen, auf meinem nämlich. Ich habe auf dem Bauch gelegen, wenn Sie es genau wissen wollen. Was sollte ich da schon gesehen haben, außer nachtfarbenem Gras? Die Hecke ist an dieser Stelle löcherig, da kann man schnell wieder verschwinden. Es krachte, knirschte über mir – dann war er reglos. Ich habe es erst nicht verstanden, ich habe ja niemanden gesehen. Vielleicht war es ein Irrer, vielleicht Nikis Geist? Was weiß ich!«

»Wenn es der Geist von Niki de Saint Phalle war, so werden wir den auf Flasche ziehen, das verspreche ich Ihnen!«

»So, mein Herr, nun möchte ich mal ganz genau und mit Hingabe von Ihnen hören, was Sie von der besagten Nacht im Großen Garten wissen, und bitte mit Vorgeschichte.«

»Aber gern, aber präzise, Frau Hauptkommissar. Zuerst die Vorgeschichte: Die Große Fontäne bildet das Zentrum des Nouveau Jardin, des neuen Gartens, der erst zu Beginn des 18. Jahrhunderts angelegt worden ist. Ja, und was soll ich sagen, seitdem gibt es dort 32 dreieckige Boskette, die sogenannten Triangel. Begrenzt werden diese buschigen, baumhaltigen Dreiecke von hohen Hainbuchenhecken. Einst wurden in ihnen Obst und Gemüse angebaut, heute dienen sie allein dem Wohlfühlen und lassen oft süße Klänge herausschallen.«

»Nun quatschen Sie mal keine Opern, Mann, Sie stehen unter Tatverdacht wegen Raubmord. Sagen Sie klipp und klar, was Sie mit dem Fall zu tun haben.«

»Fall ist gut, genau das ist es nämlich! Was da mit dem Ritualmord in der Presse steht, ist natürlich großer Quatsch, sage ich Ihnen. Manche Kollegen können schlicht nicht Zeitung lesen, das ist es. Ich denke, der Fall ist schon ziemlich eindeutig. Sehen Sie mal!«

Einer Plastikhülle entnimmt der freischaffende Journalist graue Papiere. Ohne sie vorzulesen, hält er sie der Kriminalbeamtin hin und legt eindringlich los: »Hier, im August 1990 fiel ein fußballgroßer, eisiger Fäkalblock in ein Wohnhaus im nordrhein-westfälischen Vettweiß. Was war's? – gefrorene Scheiße, mit Verlaub, aus einem Flugzeug. Und später, im gleichen Jahr, knallt im November eine Eisbombe durch das Dach eines Hauses in den USA, in Elkhorn/Wisconsin, auch dieser kalte Ballen war aus menschlichen Exkrementen. Können Sie alles nachlesen, kein Witz!«

»Jaja, moderne Mythen, kalter Kaffee, erzählen Sie mir was Neues, was Besseres als das, was schon seit Jahren in Büchern steht.«

»So? Dann schauen Sie mal hier hinein, in unser hochseriöses hannoversches allgemeines Anzeigenblatt. Hier, diese Ausgaben aus dem Januar. Na los, sehen Sie sich das an!«

Verblüfft liest die Beamtin von einem Eisball, der gerade erst in diesem Jahr südlich von Hannover niedergerauscht ist.

»Schon wieder jemand mit himmlischem Einschlag«, murmelt sie. Doch ihr Gegenüber lässt nicht locker:

»Und dann vor zwei Wochen der Klumpen auf Herrenhausen. Mitten im Sommer schmetterte der nachts durch das Dach einer Kleingartenbutze. Morgens war eine stinkende, braune Wasserpfütze unter dem Loch, obwohl es keinen Tropfen geregnet hatte. Muss ich da wirklich noch mehr sagen? Von wegen Mythen, Sagen, Erfindungen, Spinnereien – schlichte Realität ist das, eklig und stinkend, nichts weiter!«

»Ich sehe schon, die Einschläge kommen näher. Aber trotzdem sind das noch keine Beweise für Ihre Annahme.«

»Hören Sie, ich will zur Aufklärung beitragen, und die Belohnung dafür beanspruche ich natürlich auch. Was kann ich dafür, dass es kein Mord oder so was war.«

»Ach ja, ein glitzernder Stern fiel herab wie bei Niki de Saint Phalle. Nun hören Sie mal zu. Es ist einfach hochgradig unwahrscheinlich, dass ein eisiger Klumpen aus dem Himmel fällt und exakt diesem gerade sehr beschäftigten Menschen den Schädel einschlägt. Was Sie mir da weismachen wollen, riecht nach einer beschissenen Story, und zwar im wahrsten Sinne des Wortes.«

Der Kommissar beginnt, seiner vorgesetzten Hauptkommissarin den Stand der Ermittlungen auszubreiten: »Also, ich habe die Informationen über alle in Frage kommenden Flugzeuge eingeholt und überprüft. Resultat: Es wurde keinerlei Eisabgang gemeldet. Aber so etwas kann eventuell unbemerkt passiert sein. Eine Zuordnung der Fäkalspuren zu Passagieren und der Besatzung eines ganz bestimmten Jets zur in Frage kommenden Zeit scheint selbst unseren Experten nicht mehr möglich zu sein. Dafür wäre ein quasi weltweiter Fäkalvergleich erforderlich. Schaurig. Aber da eben wegen des ausspülenden Gewitterregens sowieso nur noch minimale und damit unrepräsentative Reste dieser Ausscheidungen vorhanden sind, würde ein solch delikater Abgleich sowieso nicht zu harten Fakten führen.«

»Keine harten Fakten, das ist in diesem Fall besonders treffend«, ergänzt mit einer leichten Grimasse die Hauptkommissarin. Ungerührt fährt ihr Mitarbeiter fort: »Aber die Zellulosefasern stammen von Toilettenpapier, und die Druckspuren darauf, die bringen uns weiter.«

»Druckspuren, was für Druckspuren?«

»Na ja, das Klopapier heißt ›Morgentau‹, und das steht gedruckt auf den Blättern. Und dieses spezielle Toilettenpapier war bei keinem der von mir untersuchten Flüge an Bord. Hat einen halben Tag Recherche gekostet, aber hat sich doch gelohnt.« Der Ermittler macht eine bedeutungsschwere Pause.

»Da lag unser journalistischer Zeuge aus dem Großen Garten also daneben«, murmelt seine Vorgesetzte.

»Der lag ziemlich daneben, dieser fantasievolle Publizist. Und am Tag des Todes lag auch noch ein umgekipptes Dixi-Klo fast unmittelbar an der Graft. Kollegen haben es gefunden und der Verleihfirma gemeldet – eine ziemlich stinkende Sauerei. Da ich den Laborbericht betreffs der Papierreste bereits gelesen hatte, nahm ich mir einfach mal ein noch unbeflecktes Abwischblättchen aus diesem mobilen Entsorger. Und wie heißt das – ›Morgentau‹! Der Täter oder die Täterin hat sich aus dieser Jauchengrube bedient, warum, das ist noch unklar. Noch etwas: Die Spurensicherung untersucht gerade seitliche Fingerabdrücke am Dixi-Klo, und zwar genau an den Stellen, wo der Umstürzler angepackt haben muss. Mal sehen, ob da jemand dabei ist, den wir kennen.«

Anerkennend nickt die Hauptkommissarin und ordnet mit einem süffisanten Lächeln an:

»So, und nun geben wir mal eine Meldung an die Presse raus. So etwas mit ›angeblicher Eis-Unfall war vom Mörder fingiert‹ oder so ähnlich. Sie deichseln das schon, lieber Kollege, und zwar gleich jetzt, o. k.?«

Ein uniformierter Beamter betritt das Büro der Hauptkommissarin: »Draußen steht wieder dieser große Bärtige von neulich, der will Sie unbedingt sprechen und ist ganz hibbelig.«

»Na gut, gleich rein mit ihm!« Mit langen Schritten betritt der Wohnungslose das Dienstzimmer, wedelt mit der aktuellen Boulevardzeitung und legt gleich los: »Na klar war ich auf dem Klo, dem Dixi-Klo in der Nähe, ich bin doch kein Schwein. Aber ich hab das nicht umgekippt, das können Sie Ihren Leuten ruhig sagen, die da herumsuchen.«

»Die machen das schon richtig, keine Sorge. Sie bleiben hier in Hannover und sagen mir jetzt ganz genau, wo wir Sie derzeit erreichen können. Sie werden uns noch dankbar sein dafür.«

»Zunächst einmal die Fakten, Sie Klugschreiber: Der Politiker ist auf gar keinen Fall von einem eisigen Kotklumpen oder kotigem Eisklumpen erschlagen worden. Die Ausscheidungen stammen aus einem bestimmten Dixi-Klo, und wir haben außen an dessen Seitenwänden Ihre Fingerabdrücke einwandfrei gesichert. Mann, Sie sind nicht so clever, wie Sie glauben. Ihre Lage kann nur noch ein Geständnis verbessern.«

Ungewohnt nervös blickt der Journalist zu dem Uniformierten neben der Tür.

»O. k., o. k. – Ich sah die Blondine weglaufen, war neugierig, ging rüber in die sechste Triangel, bemerkte den Toten und drehte ihn um. Als mir klar wurde, wen die Blondine da erlegt hatte, kam ich auf die Idee, doppelt, wenn nicht gar dreifach von diesem professionellen Existenzvernichter zu profitieren und posthum noch den Ruf dieses Politikmonsters zu ruinieren. Deswegen das alles mit der Fäkalprobe aus Dixieland bis hin zu den realen Jet-Eisklumpen-Storys. Brieftasche, Zeitungshonorare, dazu eventuell Belohnung plus journalistischen Erfolg – es ist genau das, was einem Mann in meiner beschissenen Lage fehlt. Meine Chancen auf einen Posten bei einer Zeitung sind gleich null. Ich bin nicht mehr jung und ich brauch das Geld. Das alles mag Ihnen zynisch vorkommen, aber so denkt eben heutzutage manch abgesägte Existenz.«

»Und deswegen dieser Mord?«

»Nein. Nein. – Jaja, ich gebe ja zu, dass ich mit den Fäkalien aus dem mobilen Klo eine bizarre Spur legen wollte. Und weil der saubere Politiker sein dreckiges Geld sowieso nicht mehr benötigte, erleichterte ich ihn um seine Brieftasche. Da waren gerade mal hundert Euro drin, lächerlich. Aber der Typ war mausetot, als ich in Nummer sechs nachsah, der lag schon auf dem Bauch mit blutigem Schädel. Wenn Sie mich fragen: Ich glaube, der hat sie vergewaltigt. Scheiße, ich wollte eigentlich diese Blondine da rauslassen, lieber diese Eisklumpenvariante groß rausbringen. Warum bin ich bloß so blöd gewesen, mich als Zeuge zu melden. Aber ich brauche die Kohle einfach, verdammt noch mal. Und eines kann ich schwören: Im Boskett nebenan, der Nummer sechs, waren in jener Nacht die ganze Zeit über bloß dieser abartige Politiker und seine blonde Liebhaberin. Nur die kann es gewesen sein – falls er sich nicht selbst von hinten erschlagen hat.«

»Spätestens vor Gericht werden Ihnen solche dummen Scherze vergehen. Ich nehme Sie hiermit fest. Sie werden wegen Diebstahl und Mordverdacht angeklagt werden. Herr Polizeiobermeister, führen Sie den Herrn ab.«

»Den sauberen Journalisten haben wir so weit, dass er Klartext redet. Er hat den Artikel mit der Eisbombe auf einen Herrenhäuser Kleingarten von einem Kollegen, der ihm noch etwas schuldete, faken lassen. Bei den letzten Artikeln im Boulevardblatt hat er als ›Exklusivinformant‹ ebenfalls seine Meinung verobjektiviert, sozusagen. Der Raub und die bräunliche Spurenlegung gehen ebenfalls auf sein Konto. Der wollte partout und aus allen Mordumständen Geld und ein bisschen Erfolg herausschlagen. Ein armes Schwein, aber ein Schwein. Die Fingerabdrücke außen am Dixi-Klo haben ihn endgültig überführt, er hat gestanden.«

»Na, Bingo. Dann Deckel drauf und ab zur Staatsanwaltschaft.«

»Bloß – er will am besagten Morgen einen bereits Erschlagenen vorgefunden haben. Mal sehen. Bleibt uns noch diese blonde Galeristin vom Tatort, die von diesem Journalisten nun plötzlich beschuldigt wird. Vielleicht nur aus Selbstschutz. Allerdings hat mir diese Frau eine seltsame, etwas dick aufgetragene esoterische Story erzählt, die zu glatt in Sex aufgeht. Sie besteht darauf, dass sie sich diesem Politiker einfach so hingegeben habe. Ich muss noch einmal zu dieser kunstbeflissenen Dame.«

»Die Belohnung scheint sich in jedem Fall der Obdachlose mit dem Zylinder verdient zu haben. Keiner der mutmaßlichen Täter hat den gesehen, er aber beide.«

»Hallo, Frau Hauptkommissarin. Wenn Sie das zu Hause auf Ihrem Anrufbeantworter hören, bin ich bereits weit weg.

Dieser Drecksack von Politiker, dessen Mörder Sie suchen, hat mir trotz meiner Gegenwehr Gewalt angetan. Ich wollte Ihnen kein Tatmotiv für mich liefern, deswegen sagte ich Ihnen, dass da im grünen Dreieck alles freiwillig gewesen sei. Nun ist er tot, dieser brutale Hund, und das ist gut. An jenem Morgen hat er sich einfach von mir heruntergewälzt, als er fertig war. Blieb einfach stumpf auf dem Bauch liegen und lachte noch widerlich ins Gras. Ein kleiner, glatter, kantiger Marmorblock lag in Griffnähe, er war zu verlockend. Den trieb ich ihm in seinen ignoranten Schädel, bis er nicht mehr zuckte. Schließlich bin ich gelernte Steinmetzin und Bildhauerin. Der kommende Gewitterregen werde meine Spuren verwischen, dachte ich. Stimmte ja auch. Den Stein warf ich in die Graft. Auch gut. Dass mich zwei Leute gesehen haben, die auf die Belohnung scharf sind, damit habe ich nicht gerechnet.

Einer von denen, dieser Journalist, Sie kennen ihn, will mich nun erpressen. Der hat da nachts gelauert und weiß, dass ich damals allein mit diesem brutalen Widerling im grünen Dreieck gewesen bin. Er hat mir versprochen, Sie auf eine falsche Spur zu setzen, wenn ich mit ihm ins Bett steige. Ich habe mich diesem Schwein verweigert. Er wird zu Ihnen kommen und mich verraten, da bin ich sicher. Aber ich lasse mich weder weiterhin demütigen noch erpressen. Sie hören gewiss noch von mir.«

»Hier Hanno 12 42, Hanno 12 42 – Frau Hauptkommissarin, hören Sie mich? Ja, verstanden. Sie flieht. Diese Galeristin hat am Startplatz der Heißluftballons vor dem Hauptgebäude der Universität eine weibliche Geisel genommen, vor zwei Minuten. Sie befindet sich mit ihr allein im Passagierkorb des Ballons. – Der heißt, Moment, der heißt ›Niki de Saint Phalle‹, ja: ›Niki de Saint Phalle‹, silber auf blau. –

Warum der? – Nein, keine Ahnung. Der war gerade startfertig. Sie muss jetzt die Düsen der Gasbrenner voll aufgedreht haben, man hört das bis hierher zischen. – Ja, genau, der Korb hebt gerade ab, jetzt springt eine Frau hinaus, das muss die Geisel sein. Die Geisel scheint unverletzt zu sein. Sie läuft in die Zuschauermenge hinein. Der Ballon taumelt aufwärts, gewinnt richtig an Fahrt. – Ja, der Ballonfahrer steht neben mir. Nach höchstens vier Stunden ist das Gas verbraucht, sagt der, dann kommt die sowieso wieder runter. – Gut, ich wiederhole: keine Feuererlaubnis, der Hubschrauber übernimmt die Verfolgung.«

»Ja, hier bin ich noch mal, ich schwebe, zische schön hoch, und mein Handy funktioniert so gut wie noch nie. Ich habe die Gasflaschen voll aufgedreht und jeglichen Ballast abgeworfen, das geht ins Blau wie im Expresslift. Zum ersten Mal finde ich ganz viel heiße Luft wirklich erhebend. Auf in den Himmel, zu den Sternen!«

Der Besitzer des Heißluftballons »Niki de Saint Phalle« steht am Streifenwagen neben der Hauptkommissarin und schaut der blau-silbernen Kugel nach. Er zeigt auf das winzig gewordene Luftgefährt: »Ziemlicher Mist, was die da oben macht. Die fährt jetzt schon viel zu hoch. Bloß mit ihrem T-Shirt am Leib kommt die irgendwann glatt als Eisklumpen runter.«

Listen-Schnitte

»Ach, es wäre toll als Lehrer: ein riesiger Dispositionskredit, schöne Kiefernmöbel, einen Weinkeller anlegen, einen dicken Schnurrbart tragen und in den Sommerferien vier Wochen in die Toskana!«

Diesen Ricklinger Kiesteich kenne ich seit zehn Jahren, seit meinem Studienbeginn bin ich da hineingegangen.

Ich beobachte sie dort am Nacktbade-Kiesteich, versteckt, mit dem Fernglas von gegenüber. Nun ist es so weit. In kompletter Taucherausrüstung, fast ganz in Neopren mit Druckausgleichsmaske und Pressluftgerät, schlappe ich auf Schwimmflossen aus dem Ufergebüsch, hinein ins dumpfbräunliche Element, als sie, die geübte, ausdauernde Schwimmerin, zum letzten Mal das warm-trübe Gewässer besteigt. Obwohl sie selbst durchs Fernglas wieder perfekt ausgesehen hat, mag ich sie immer noch nicht, empfinde bei ihr keine erotische Sehnsucht, die mich abhalten könnte, sie wie eine junge, süße, dumme Katze zu ersäufen. Weil sie im Wege ist.

Die Nummer eins der Liste ist auch meine erste, die schöne, blonde, hemmungslose, immer gebräunte Giesela Körbeler. Ausgebildet für Geografie und Französisch, hat mit 1 bestanden, hat bereits zweimal eine befristete Stelle gehabt. Sie ist klar die aussichtsreichste Bewerberin, sie hat absolut die größten Chancen.

Giesela, immer beflissen, anziehend, aber nicht kokett; ironisch, aber ohne Witz. Bei ihr läuft alles mühelos, ohne den letzten Einsatz. Sie hat einfach keine Tiefe. Aber die Tiefe bringe ich ihr bei. Und zwar für immer.

Ich bin überrascht, ja ein wenig verwirrt gewesen über meine Sicherheit: Was mich aber geradezu erschreckt, ist, dass ich kein Mitleid verspüre, nur die Spannung, wie es wohl sein wird, wenn …

»Eine schöne Blondine ersäufen«, sage ich immer wieder vor mich hin. Es erregt und entsetzt mich zugleich. Das, was ich in einer Frau einmal verehrt habe, das Rätsel des Schönen, des Schauers, der Sehnsucht – all das werde ich bei ihr verschwinden lassen. Ich bin der Tod und sie das Mädchen.

Giesela, du bleibst danach noch einige Zeit so unversehrt wie eine Meerjungfrau. Besser jetzt als irgendwann, viel später, alt und runzlig zu zerfallen, nur noch mit Schläuchen am Leben zu hängen.

An diesem Nachmittag steige ich mit Schnupfen und Hexenschuss ins Wasser, habe mich begründet krankschreiben lassen müssen. Schniefend und ächzend steige und tauche ich also in den sommerwarmen Kiesteich ein, den mein Körper mit einem kleinen widerlichen Schüttelfrost begrüßt. Manfred, sage ich mir, Leistung trotz Handicap, überwinde die Schwierigkeiten!

Dieses verdammte Amt, das alle meine Fähigkeiten entfaltet, zu kränkeln und ein Zipperlein zu entpuppen! Dauernd bin ich krank im Amt, wo ich täglich Aktenstaub einsauge und fresse. Aktenstaub, der meine Atemwege, das Nasennebengehöhle, von einer Reizung in die nächste treibt. Akten – diese verdammte mittelalterliche Art, Informationen in verdreckendem Papier zu sammeln und anzuhäufen. Wenn der ganze Aktenmist in Computerdateien gespeichert wäre, hätte ich wenigstens keine Dauerkatarrhe – allerdings auch keinen Job hier in der Laatzener Außenstelle.

Ich sprinte morgens immer die zehn Stockwerke hoch, weil ich meine Wut kappen will, weil ich die idiotische Sitzarbeit wenigstens für Minuten als Ausruhen empfinden möchte. Ich keuche morgens aufwärts, fahre zur Mittagspause runter, um am Ende der Mahlzeit wieder hechelnd zehn Etagen hoch zu toben.

Ein wütendes Niesen, ein bissiges Verschnupftsein zeichnet mich aus, obwohl es Sommer und warm ist. Nach zwei Wochen feuchten Hinterns durch das Besitzen des Kunststoffbürostuhls haben sich die Hämorrhoiden wieder gemeldet, die seit Jahren in völliger Zurückgezogenheit existiert haben.

Und das viele angespannte Bücken und Sitzen, angespannt aus dem Gefühl heraus, in einem nichtsnutzigen Laufrad herumzueiern. Ich habe mir einen Hexenschuss eingefangen. Ich bin damals holpernd leer wie ein kranker Außenborder gelaufen. Damals, vor Giesela. Aber es hat sich ein Ziel für mich herausgeformt:

»Ach, es wäre toll, als Lehrer zu arbeiten, ein riesiger Dispositionskredit, schöne Kiefernmöbel, einen Weinkeller anlegen, einen dicken Schnurrbart tragen und in den Sommerferien vier Wochen in die Toskana!«

Jetzt schwimmt sie genau über mir. Giesela, ganz feinporiger Hautsamt, zarter Flaum an den schwingenden Waden, glatte Achselhöhlen öffnen sich rhythmisch im Kraulschlag. Doch sie lässt mich kalt im Sommerteich.

Als sie eine Weile in einem unvollständigen Oval durch den Teich geschwommen ist – ich bleibe ihr immer auf oder besser unter den Fersen –, verharrt Gisela wassertretend an einer Stelle. Sie schüttelt sich sprühende Tropfenfächer aus dem halblangen Haar, streicht es nach hinten und lässt, unablässig wassertretend, die Arme wieder sinken. Mitten im See ist sie vom Tod umgeben.

Ich reiße mich trotz bohrendem Hexenschuss und beschlagener, schnupfenbespritzter Tauchermaske zusammen, schwimme sie von unten an, sehe die kleinen, kräftigen Füße, die starken Schenkel, den mir arglos entgegengewölbten Hintern, die Hyperboloide ihrer Brüste, die trainierten Oberarme und die oben durch den Wasserspiegel wie abgeschnittenen Schultern.

Niemand ist in unserer unmittelbaren Nähe, ich lege mich blubbernd in die Waagerechte, packe ihre beiden schmalen Fesseln und ziehe Gisela bei hoher Flossenschlagfrequenz nach unten, nach unten, nach unten, nach unten. Still schlürft der Kiesteich die geschmeidige Nackte ein, gleich einer schlüpfrigen Auster.

Erst in dem Moment, da ich wie eine gierige Wasserjungfrau Gisela hinabziehe, erlebe ich etwas, was mir bisher unvorstellbar gewesen ist: Ich empfinde in Giselas Nähe und Berührung Lust.

Gisela ist zu meiner Erleichterung sofort unter die Wasseroberfläche gekommen, wie selbstverständlich, wie eine teichbewohnende Undine. Erst nach 2, 3 Sekunden hat sie Schübe von Luft nach oben perlen lassen, stumm schreiend mit den Beinen ausgeschlagen, mit den Armen gerudert, aber da ist sie schon unsichtbar, unhörbar und flossengetrieben auf dem Wege nach ganz unten. Nach einer knappen Minute und einigen Metern tief im Teich ist sie endgültig eingeschlürft, sanft, ruhig geworden, nur ihr schreckensgeöffneter voller Mund mit kleinen gleichmäßigen Zähnen, ein obszöner Medusenmund, bleibt als verstörendes Zeichen unter ihrem feinen weichwogenden Blondhaar.

Ich halte sie noch einige Minuten über dem Grund fest, vergewissere mich, dass sie nicht gleich nach oben treiben kann. Dann reibe und drücke ich mit meinen Taucher-Gummihandschuhen fest an ihren Handgelenken, sodass es Spuren hinterlassen muss, die denen an ihren Fesseln ähneln, und schwimme schließlich keuchend unter Wasser an meinen Einstiegspunkt zurück.

Als es vorbei ist, merke ich, dass ich kälter geworden bin. Der Glasfilm zwischen der äußeren Wirklichkeit und mir wuchert und scheint nun ziemlich undurchdringlich zu sein. Ich habe eine Reduktion erfahren. Ich nehme sie in Kauf.

Am nächsten Morgen bin ich nach einer traumwilden Nacht fast gesund erwacht. Die Erkältung ist auf ein leichtes Schniefen geschrumpft, der Rücken wieder voll beweglich. – Was für eine überraschende, mörderische Therapie, denke ich!

Giesela wird nach einem Tag vermisst, am dritten Tag nach ihrem Tod gefunden. Ich lese den Zeitungsbericht:

»Ertrunkene im Kiesteich gefunden. Hannover. Bei der gestern in einem der Ricklinger Kiesteiche gefundenen Frau handelt es sich um die 28-jährige Giesela Körbeler, ausgebildete Gymnasiallehrerin für Geografie und Französisch. Die Eltern der Ertrunkenen sind die bekannten Konservenfabrikanten Elfriede und Eugen Körbeler.

Giesela Körbeler hatte drei Tage im Wasser gelegen, die Vorgänge, die zu ihrem Ertrinken führten, sind noch ungeklärt. Ihr Versinken ist anscheinend von keinem der am Kiesteich befindlichen Personen bemerkt worden. Zwei Badende hatten am gleichen Tag einen Gerätetaucher mit Flossen gesehen, konnten aber nicht angeben, ob es sich um eine Frau oder einen Mann gehandelt habe. Die Polizei bittet die betreffende Person, sich als möglicher Zeuge zu melden.«

Den Tauchanzug habe ich aus der Garage Knut Muskamps geklaut. Knut, den ich ja noch aus der Referendarzeit kenne, ist der dritte auf der Rangliste, ein echter Spitzenkandidat also. Ich habe Knuts Unterwasserausrüstung zum Mord an Giesela benutzt und lasse das nützliche Kleidungsstück samt Zubehör im Müll verschwinden. So habe ich nicht nur meinen Listenplatz verbessert, sondern zugleich einen Hauptverdächtigen hergestellt.

Knut ist ein erfahrener Hobbytaucher, ebenso wie es Giesela gewesen ist. Er und Giesela kennen sich näher von einem gemeinsamen Kreta-Urlaub. Giesela, Katinka, Knut und ich, wir weilten damals wegen eines Gerätetauchkursus auf der Mittelmeerinsel. Ich war ziemlich, aber heimlich in Katinka verknallt.

Bei Katinka war Knut, der chronische Aufreißer, kurzzeitig gelandet, einfach weil Katinka neugierig war. Schon nach der ersten Nacht war sie es nicht mehr. Bei Giesela hat Knut, der Unwiderstehliche, es selbstverständlich dann auch versucht.

Giesela lief am Strand und am Taucherkai grundsätzlich nur mit Tanga herum, völlig sicher, völlig gelassen. Wie triumphierend stellte sie ihren ideal gerundeten, trotzdem schlanken Körper aus und amüsierte sich über die blöd glotzenden Männer, die meistens missmutig hinschauenden Frauen. Punktuell ließ sie sich durchaus mit Männern offensiv schamlos ein, machte danach kichernde Bemerkungen über ihre Bettgespielen: 5000-Meter-Läufer, Feinmechaniker und Kopfficker, allesamt ohne zarte Zuwendung, nur darauf bedacht, es ihr oder bloß sich gut zu machen.

Knut bekam das mit und zog, weil er so wollte, daraus die falschen Konsequenzen. Beide, Knut und Giesela, tranken nach zehn Tagen Inselaufenthalt abends gutgelaunt allein in die Nacht hinein, zogen relativ synchron über die doofen Touristen her, die verklemmten Einheimischen, die blöden Muttertiere und Papaprügel.

Ich bekam mit, wie Knut aufs Ganze ging. Giesela hatte ihn angesehen, gelächelt und etwa dieses von sich gegeben: »O.k., Knut, du bist hübsch, jungenhaft, anziehend amoralisch und bestimmt gut bestückt. Aber das reicht nicht, mein kleiner Herrenmensch. Bevor ich mich mit einem Smartie wie dir einlassen würde, müsste ich deiner ganz sicher sein. Aber dann wärst du ja nicht mehr du, also bleib mir vom Leibe und versuch es lieber nicht noch mal.«

Knut, ebenso überrascht wie ernüchtert, hatte sie völlig uncool und erstaunlich eloquent als »kalten Arsch«, »geizige Möse« und »exhibitionistischen Sprechautomat« tituliert, worauf sie ihm gelassen empfohlen hatte, sich doch erst mal einen zu wichsen oder sich von Georgias, dem netten Schwulen, einen blasen zu lassen, das täte bestimmt allen gut. »Und tschüss!« – Knut hatte bis zum Ende des Tauchurlaubs kein Wort mehr mit Giesela gesprochen. Giesela ließ das gleichgültig.

Ein weiterer Zeitungsbericht über die ertrunkene Giesela erscheint. Darin heißt es:

»Die bei der Toten festgestellten Druck- und Reibstellen an Fuß- und Handgelenken könnten von sexuellen Spielen herrühren. Die Kripo, die bisher von einem Mord ausging, hält nun auch einen Unglücksfall für wahrscheinlich.«

Doch es gibt einen Täter. Klar, der Täter bin ich. Man nennt mich zwar Manni, aber diesen Namen habe ich nie gemocht. Er hat in meinen Ohren so etwas Läppisches, Zaunpfahlhaftes, platt Anspielungsreiches – Manni. Tatsächlich bin ich aber leistungsbereit, einsatzfreudig, klar und direkt – und mein Name ist Manfred Knoche, 28. Noch bin ich arbeitsloser Lehrer für Geografie und Deutsch. Noch.

Ich arbeite im Arbeitsamt Hannover, Außenstelle Laatzen, in der Aktenablage Kindergeld, 10. Stock.

Ich bin ledig und kinderlos, stelle deshalb kein besonderes Datenschutz-Risiko dar. Mit 800 Euro netto verdiene ich 200 Euro mehr, als ich an Arbeitslosengeld bekommen habe. Deswegen bin ich da, sortiere dafür Akten ein und aus.

Morgens komme ich spät, um die Nächte zu nutzen, nachmittags gehe ich sehr spät, gewöhnlich als Letzter, um unbeobachtet Stunden ohne Arbeit zu schinden.

Akten abholen, vorsortieren, einstellen, zurückstellen. Ich bin Fachkraft für das sogenannte Aktenziehen. Tagein, tagaus aus über 90.000 Akten mal die betreffende anlegen, stempeln, mal einige andere ziehen, auf jener notieren; es wird geklammert, geheftet, gezogen, wieder eingestellt.

Über mich, über den Ort, über meine Situation kreisen meine Gedanken wie Geier um das Aas. Es wird mir schmecken. Ach, es wäre toll als Lehrer ...

Wenn es damals nicht diesen Abend gegeben hätte im »Übü«, dieser Lindener Kneipe!

Ich lernte den fetten Hacker beim Frustsaufen kennen. Er war eine Art Kollege, ein stellungsloser Sport- und Physiklehrer, der seine autistischen Tendenzen als Computerfan stilisiert und sich schließlich zum Computerhacker perfektioniert hatte. Ein prahlerischer Trinker, auf der Suche nach einem Freund oder mindestens einem interessanten Saufkumpanen. Ganz im Gegensatz zu mir war seine Stimmung von einem grundsätzlichen Weltekel getragen, der keine echte Leistung mehr zuließ. Trotz seines Könnens hatte der Hacker keine Lust auf jegliche Art von Zukunft. Das gipfelte in solchen Sätzen wie:

»Wir gehören vielleicht zu den letzten Generationen, die noch ehrlich zusammengevögelt worden sind, Manni. Bei feuchten Schützenfesten, in weichen Sommernächten, inmitten dunkler Schlafräume. Nicht in Labors erzeugt und immer mindestens zu zweit. Das nimmt rapide ab. Mit dem Samenspenden fing es mal an.«

Es war bei viel Bier und Ouzo zu seinem Versprechen gekommen: »Ich kann mich ohne Probleme an die Bezirksregierungs-Dateien heranmachen und meinem Freund Manni mitteilen, was da so alles gespeichert wird.«

Schon zwei Abende später trafen wir uns wieder im »Übü«.

»Ja, Manni, deinen Namen hab ich auch gefunden, einmal mit Personalakte und einmal in einer Liste.«

»In einer Liste? In was für einer Liste?«

»Für eine Planstelle an einer Schule, eine Geografie-Planstelle, hier im Bezirk Hannover, in Kirchrode. Und du warst auf Platz sieben, Manni, der siebte von sieben.«

Der Hacker sagte noch, dass er morgen nach Frankreich, ins Zentralmassiv verschwinde. Er habe hier die Schnauze voll.

Wenn ich hier im Arbeitsamt, hier in der Aktenhaltung bliebe? Wie wird der Winter sein?, fragte ich mich damals immer. Der Winter wird ein völlig zermürbender Horror werden.

Im Dunkeln fahre ich nach Laatzen, im Dunkeln fahre ich zurück zum Kröpcke, eine lange, trockene, bleigraue Straßenbahnfahrt hin, eine hellgraue zurück. Ein Wechsel zwischen Frauen-Begutachten, mürber Lektüre, Einnicken, Lesen, Grübeln, Glotzen, Dösen.

Nur die kleinen, miesen Freuden zwischen den Aktenregalen: Pausen einschieben, heimlich lesen, sich noch heimlicher selbst befriedigen, lauschen, beobachten, im Sitzen flach pennen, trinken, in staubigen Akten herumschnüffeln. Und wieder ran.

Ein Schrei steckte in mir: Ich will da raus, für immer, ich muss unbedingt Beamter werden!

Der Hacker hatte mir die Basisinformationen über die sieben Kandidaten ausgehändigt, zu denen ich selbst gehöre. Bis auf einen waren sie alle bei einem Treffen ehemaliger Referendare, ausgebildeter Lehrer in Lauerstellung. Bis auf einen kennen mich alle, und ich kenne sie, manche gut, eine fast in- und auswendig.

So bin ich der einzige der Kandidaten, der diese Liste komplett kennt, sie aber eigentlich nicht kennen kann, das ist das Tolle – perspektivisch gesehen.

Nach Gisela ist eigentlich Katinka dran, denn sie ist die zweite, nun ganz oben und selbstverständlich viel aussichtsreicher als ich. Dennoch will und kann ich Katinka noch nicht beseitigen.

Immer noch bin ich verliebt in Katinka, kann es nicht hinreichend zeigen, kann es nicht ausleben. Hinter uns liegen heftige, vielgestaltige, sexuelle Verschlingungen. Leider haben sie nur eine Woche gedauert und sind von Katinka mangels Entwicklungsmöglichkeiten, wie sie sich ausdrückte, beendet worden.

Die ausgeglichene, immer gelassen-freundliche Katinka, eine dunkelwildlockenhaarige, mit einsachtzig Körpergröße eher herb-schöne Frau. Obgleich schlank, ist sie vor allem weichrundmuskulös und nicht so vollkommen pralinen wie Giesela einst gewesen ist. Sie erweckt erotische Furcht und ähnelt einer ebenso kraftvollen Frau aus der Landespolitik, deren Erscheinung schon länger meine sexuellen Selbstbetätigungen anfeuert.

Katinka neigt unangestrengt zu jeglicher Sexualität, kostet das, was sie mit ihrer Gespielin oder ihrem Gespielen tut, vollends und vorbehaltlos aus.

Unser gemeinsames, im Rahmen des Konventionellen sich bewegendes Gevögel war nur ein kurzer Abschnitt intensiver Verschränkungen und Benetzungen. Als ich einmal mit besonders großer Lust an ihr herumleckte, fragte sie mich wörtlich, ob sie mich mal durchficken dürfe. Nachdem ich ihr, reichlich verwundert, zugestimmt hatte, band sie sich einen von ihr erworbenen Doppeldildo um. Ich ließ mich kniend, durchaus mit überraschenden Lustempfindungen, kräftig von Katinka stoßen und dabei wichsen. Uns beiden gefiel das sehr. Gern ließ sie sich danach auch wieder vögeln, mit einer Selbstverständlichkeit, die ich nicht mehr verstand.

Bei Katinka geschieht alles mit Lust und Neugierde, sie hält keine Vorträge, gibt keine Begründungen ab und unterlässt jegliche Rechtfertigung. Darum beneide ich meine damalige Gespielin sehr – ich selbst brauche für alles haltbare Begründungen. Ich finde bei ihr nichts innerlich Festes, Sentimentales, sie ist die reine haltlose Durchlässigkeit.

Nun hätte ich Katinka umbringen müssen. Das kann ich nicht. Also muss ich Katinka aus dem Kandidatenkreis hinausbekommen, sie vor mir schützen. Keine Schulstelle, kein Tod, Katinka!

Eine bessere Note als ich hat sie zwar, aber auch ein ungeordneteres Leben, dazu einen unbefangen frechen Mund gegenüber den Vorgesetzten. Außerdem – was heißt bessere Note als ich –, diese Frau hat sich immer gegen das Leistungsprinzip geäußert.

Ich rufe also anonym den Dezernenten bei der Bezirksregierung an und erzähle ihm: Katinka Leone hat während ihres Referendariats ein Liebesverhältnis mit einem Schüler und einer Schülerin unterhalten – ich könnte deren Namen nennen. Frau Leone hat sich gegen jegliche Leistungsmessung gewendet, hat nie eine Fünf erteilt. Nie hat man mit ihr ernsthaft über Punkte- und Notengebung reden können. Der Dezernent hat nur zugehört und dann aufgelegt.

Später, bei einem Telefongespräch anlässlich des plötzlichen Todes von Giesela, teilt Katinka mir die telefonische Intrige gegen sie mit. Der Dezernent werde nichts von dem Denunzianten berücksichtigen, habe er ihr versichert.

Mein Plan war geplatzt, die Zeit drängte. Also wandte ich mich erst einmal dem dritten auf der Rangliste zu, Knut Muskamp. Erst geht es Knut an den Kragen, dann würde ich weitersehen! So kam ich meinem Lebensziel entgegen. Ach, es wäre toll!

Knut ist der einzige Sohn einer wohlhabenden Beamtenfamilie, Assessor des Lehramtes für Geografie und Sport mit athletischen einmeterzweiundachtzig. Knut ist angesichts seiner tüchtigen, wohlhabenden Eltern zum Minderwertigkeitskompensator herangewachsen und besitzt eine ausgeprägte Sportwagenmacke. Äußerlich locker, ist er oft innerlich verkrampft und hat eine arhythmische Darmperistaltik. Knut gilt als cooler Typ, er ist ein gut aussehender, charmanter Fiesling.

Jeweils vor dem I. und II. Staatsexamen hatte er eine Frau von sich abhängig gemacht, die ihm dann jeweils größtenteils die betreffende Examensarbeit schrieb. Eine traktierte ihn einmal öffentlich in der Universität mit Ohrfeigen, schuftete aber dennoch weiter für Knuts akademische Karriere.

Dieses Muttersöhnchen wohnt noch in der Bothfelder Villa seiner Eltern, die ihn gut versorgen. Knut hat sich im von ihm allein bewohnten ersten Stockwerk seines Elternhauses eine kleine Edelküche mit Bar, passenden Hockern und Lichtgestaltung zugelegt, sein Zentrum, wo mehr repräsentiert als genossen wird. Irgendwann, nach einem solchen auf Knuts Prestigezuwachs gerichteten Gästeessen, hat er mit Entsetzen bemerkt, dass er auf seine Schwester – intelligent, hübsch, zartgliedrig – neidisch ist, weil sie selbständiger und unbefangener lebte, wie er glaubt, und – schlimmer noch! – dass ihn seine leibliche Schwester aggressiv geil macht.

Damals, seine diversen Verkrampfungen hatten nach dieser Selbstentdeckung zugenommen, hatte er eine Beziehung zu Erdmute angeknüpft, einer eher unauffälligen Sozialpädagogin. Sie konnte ihm als Einzige länger zuhören, und er konnte sie so rücksichtslos vögeln, wie sie es uneingestanden immer gewünscht hatte. Es wurde eine zeitlich begrenzte, aber glückliche Symbiose. Die Vögeleien hatten abgenommen, waren schließlich kein Teil ihrer Beziehungen mehr – Erdmute hatte einen anderen Mann gefunden, einen, der es liebevoller tat. Aber aus der Symbiose war eine Art komplementärer Freundschaft entstanden. Ab und zu trafen sie sich, Knut redete drauflos, Erdmute erklärte ihm engagiert, was er da sagte und warum. Danach ging es Knut regelmäßig besser, und Erdmute empfand sich als nachweislich guter Mensch.

Knut hat öfter von Erdmute und sich rückhaltlos monologisiert: Von Erdmute mit der weichen Halblautstimme, seiner Psychosozialakrobatin, die ihn für patriarchal verklemmt hält, mutterkomplexbeladen, seelisch unentwickelt und seinen röhrenden Porsche nicht mag.

Nach seinen Erdmute-Soireen – seelisch und sozial durchgearbeitet, weichgewalkt – fährt Knut immer wie neugeboren und mit Maximaltempo auf die Autobahn. Im Rausch nach der Katharsis regeneriert er in seinem Porsche vom triefenden Jammerschwamm wieder zum wahren Knut, so wie er es stark alkoholisiert einmal ausgedrückt hat:

»Ich dann immer los, morgens, von Erdmute, erleichtert, geb ich ja zu, ich brauch das, aber ganz kaputt gequatscht, muss erst mal die Gesprächssülze wegfegen mit meinem Porsche – ja, ein Porsche, klar, klingt nach Klischee, ist aber nun mal so. Exakt mit meinem Porsche, ist das gebongt?, einfach das Zeugs wegfegen. Mach ich oft, knall dann los, so mit 200, links, schön links halten, voll geil, kostet Konzentration, Kalkül, alles, worauf du einen lassen kannst. Jedenfalls bleibt der Kopf dabei von unnützen Gedanken verschont, alles voll arschklar dann.«

Mir ist immer mehr klar geworden: Knut ist ein vollständiger Unrat, ein Kotfass, eine Wurmspeise, ein Abort, ein fauliges Aas, ein übel riechender Harnkrug. Dieser Schurke hat nie ehrlich für seine Erfolge schuften müssen. Es hat immer Geld oder Frauen gegeben. Er soll zerrissen werden.

Zu Gieselas Todeszeit war Knut angeblich allein beim Segeln auf dem großen Binnensee gewesen, der sich nahe der Landeshauptstadt ausdehnt. Seine Tauchausrüstung war nach dem Tod von Giesela Körbeler verschwunden. Ich hatte anonym der Polizei einen einschlägigen Tipp hinsichtlich des Tauchers Knut gegeben. So war er auf die Liste der Verdächtigen geraten.

Knut, in deinem Porsche wirst du ewige Coolness und Erlösung finden. Für dich mache ich ein paar Schrauben, ein paar Muttern locker, nur für dich, du altes Nesthäkchen, du sportiver Motherfucker.

Knut Muskamp hat wieder nachts bis morgens um vier seine Beichtfreundin Erdmute besucht. Wahrscheinlich wieder wegen seiner ihm verbotenen Schwester, seiner Erstfreundin, anderer Freundinnen wegen und all seiner Freundinnen überhaupt.

Mit Kunststoffhandschuhen bewehrt, bin ich unterdessen an Knuts Flitzer tätig gewesen, für mich eine kurze, knirschende Kleinigkeit.

Bei 200 Kilometern pro Stunde lösen sich die Radmuttern. Schleudernd rast Knut auf den Brückenpfeiler zu, der Porsche macht eine elegante, aber quietschende Schleife und prallt mit der Seite schmetternd auf. Knut wird zerfetzt wie von rasenden Furien, wie von mechanischen Bacchen im Bacchanal. Aus dem wird nichts Brauchbares mehr! Als es vorbei ist, herrscht einen Moment Stille, bis auf eine scheppernd wegeiernde Radkappe.

Knut hat nicht bloß eine Schraube locker gehabt.

Die Spur lege ich zu Katinka. So, als habe sie sich vermutlich für die Ermordung Gieselas gerächt – ihre Unschuld würde sich schon herausstellen.

Ich denunziere Katinka nun ein zweites und drittes Mal. Das geht nun wie geschmiert. Von einer Telefonzelle rufe ich bei einer Polizeiwache an und teile kurz mit, dass eine gewisse Katinka Leone mit Knut Muskamp auf Kriegsfuß gestanden habe, wegen seiner perfiden Frauenausnutzereien und ihrer beider Verhältnis zu Giesela Körbeler.

Eine ähnlich lautende Mitteilung mache ich dem Dezernenten.

In Knuts Briefkasten deponiere ich einen Zettel mit der in der Stadtbibliothek getippten Aufschrift: »Für Giesela!«

Katinka ruft mich drei Tage nach Knuts Tod an, erzählt mir von der polizeilichen Vernehmung, die keine weiteren Folgen für sie gehabt hat. Sie schließt mit den Worten: »Ich hoffe, dass damit nun Schluss ist.«

Wie hier die Krähen im ewigen Zwielicht um den Büroturm kreisen, dann schräg hinabstürzen, wie hohnvoll wieder emporsteigen, oben bleiben, und ich wie angewachsen hier am Tisch hocke, Aktendeckel stempele wie für ewig und ich auch dann nicht rauskomme, wenn die schwarzen Vögel nicht mehr kreisen.

Ich denke an meinen Zustand vorm Beginn meiner Listen-Schnitte, meiner Lösung vom Arbeitsamt:

Nein, das kann hier nicht der letzte Ort sein, nicht das Ende. Zu neuen Ufern den lecken Kahn! Ich will aus dieser verfluchten Aktenhaltung raus, egal, was es mich oder andere kostet. Die machen mich hier krank und irre.

Kleinliche Rücksichtnahmen sind da fehl am Platz und würden mir und anderen nur mangelndes Interesse beweisen, wirklich vernünftig arbeiten zu wollen. Ich muss es mir leisten, etwas zu leisten, etwas Außergewöhnliches zu leisten!

Kein Heulen, Jammern, Klagen, weil du keine angemessene Stelle hast, Manfred. Nein. Verschaff dir deinen Job wie durch Leistungssport: Eine K.-o.-Runde nach der anderen, bis von sieben einer übrig bleibt. Das bin dann ich.

Und wenn einer mordet, dann bin ich es. Und wird einer ermordet, dann bist du's. Auf zum tödlichen Reigen, der Totentanz geht weiter!

Bis auf das ungelöste Problem Katinka ist alles klar. Katinka ist der noch nicht beseitigte Systemfehler. In meinem Kopf ist dieser Fehler. Doch erst einmal die Nummer vier, den Kollegen Gerd, von der Liste schaffen. Erst die Leistung, dann sich was leisten! Ach, es wird toll werden.

Es ist morgens um halb acht. Gerd Ödelmeyer wird durch wiederholtes Klingeln aus dem Schlaf gerissen. Verschlafen öffnet Gerd die Wohnungstür. Vor ihm steht ein Mann im Overall mit einem dicken Schnurrbart im Gesicht und einer Werkzeugtasche in der Rechten.

»Ja, guten Morgen, ich bin der Heizungsinstallateur, der Hausbesitzer schickt mich, ich soll die Gastherme nachjustieren. Da stimmt etwas nicht mit dem Gasdruck im Haus.«

Brummelnd lässt ihn Gerd herein und legt sich gleich wieder stöhnend ins Bett. Der handwerksmäßig Ausstaffierte betritt inzwischen energisch die Küche. Er zieht Gummihandschuhe an, packt Franzose, Fittings, Dichtband, Wasserpumpenzange und Verwandtes auf die Arbeitsplatte neben dem Wärmeaggregat. Unter das Brett mit den Müslizutaten stellt er seine offene Werkzeugtasche ab. Er drückt seinen angeklebten Schnurrbart noch mal fest und mustert die Gläsergalerie: Haferflocken, Nusspulver, Rohrzucker, Rosinen, Kokosraspel, geschroteter Leinsamen, diverse Honigsorten. Lautstark entfernt er die Verblendung vor dem Gasbrenner, hält inne und horcht.

Kurz entschlossen nimmt er das Nusspulver-Glas, öffnet es, entnimmt seiner Tasche eine Flasche, schüttet etwas Feingeriebenes auf die gemahlenen Nüsse und rührt es in die oberste Schicht ein.

Der Installateur ist bereits seit einer halben Stunde weg, Gerd kann nicht mehr schlafen, wäscht sich, zieht sich an und greift schlechtgelaunt zu diversen Müsliingredienzien. Wie immer isst er sein Morgenmüsli aus der parabelförmigen blauen Keramikschüssel. Das Müsli schmeckt ihm heute nicht richtig, er gibt noch einen Löffel original deutschen Lindenhonig hinzu und löffelt missmutig das Konglomerat hinein. Er kaut und schluckt, alles schön eingespeichelt, kaut und schluckt, aber es will ihm nicht behagen. »Scheiß Frühaufsteher!«, flucht er.

Sofort nach dem Essen wäscht Gerd sein Gefäß wieder ab und trocknet es auch gleich danach mit einem festen Leinentuch. Dabei bemerkt er, wie sich eine komische Spannung im Kiefer- und Zungenbereich aufbaut.

In der Zeitung, zwei Tage später, lese ich:

»Mord durch Müsli? Hannover. Ein Arbeitsloser starb an Starrkrampf und Ersticken durch Strychnin. Das Gift ist ihm offensichtlich im Nussmehl seines Müslis beigebracht worden. Verdächtig ist eine ehemalige Apothekenhelferin, ebenfalls arbeitslos und ausgebildete Chemielehrerin.

Die Kriminalpolizei geht nach dem Stand ihrer Ermittlungen mittlerweile davon aus, dass das Opfer täglich Müsli zum

Frühstück verzehrte. Demnach muss das Gift nach dem vorletzten Frühstück untergemischt worden sein. Für diese Zeit konnte die giftkundige Lehrerin nun aber ein Alibi vorweisen. Das Alibi wurde überprüft und erwies sich bisher als haltbar – so ein Sprecher der Mordkommission.«

Gerd Ödelmeyer kannte mich bis kurz vor seinem letzten Müsli nicht. Ihm lag nicht daran, mit seinen Kollegen in Verbindung zu bleiben, er fand unsere Zukunftssorgen langweilig und arrogant. Über Gerd war mehrfach gewitzelt worden wegen seiner Müslileidenschaft. Selbst in den Pausen seines Schultages als Referendar packte er immer kleine Keramiktöpfe mit daheim fertig gemischten Müslis aus und goss aus einer mitgebrachten Metallflasche Vorzugsmilch darüber.

Der ist einfach faul, hörte ich, spielt jeden Tag stundenlang Boule im Park, züchtet Obst und Gemüse in einem Kleingarten und kümmert sich sonst um nichts. Er hat sich schließlich damit gebrüstet, dass er nun einer Initiative angehört, die sich »Schöner arbeitslos« nennt. Das fand ich ja denn doch den Gipfel.

Katinka erzählte mir damals eines von Gerds typischen Statements:

»Endlich habe ich Zeit, und mir ist überhaupt nicht danach, Unzufriedenheit zu heucheln, ein schlechtes Gewissen zu haben, das zur Schau zu tragen und in das medienpräsente Geheul einzustimmen, dass mich nach nichts so sehr wie nach Lohnarbeit dürste.

Wir, die Arbeitslosen, sind entlassen oder nicht eingestellt worden, weil das der Wirtschaft nützt. Das weist jede entsprechende Firmenkalkulation aus, das beweisen die Börsenkurse. Arbeitslose sind heute und morgen wirtschaftlich nützlich, notwendig. Noch einmal ganz langsam: wir Arbeitslose sind sogar wirtschaftlich nützlich!

Mein Ziel ist die Zurückeroberung meiner Zeit, verstehst du. Ich bin ein aktiver Mensch, ich langweile mich nicht, spiele gerne, beschäftige mich mit Büchern und Grünzeug. Warum soll ich mich da auf Lohnarbeit einlassen, die der Sklavenarbeit immer ähnlicher wird? Oder warum sollte ich Karriere machen? Wozu den Kopf mit sinnlosen Zifferreihen vollstopfen, eine blond gefärbte Sekretärin ficken, gefälschten Bordeaux trinken und schlussendlich am Herzinfarkt verrecken?

Ich bin kein innerlich verheulter Arbeitsloser, ich bin ein Geldsuchender; Geld brauche ich, das fehlt mir manchmal.«

Und so ein unverschämter Scheiß von einem erklärten Parasiten direkt ins Gesicht! »Schöner arbeitslos« – der hat sich einfach mit nichts herumgequält. Aber der hat es ja noch gelernt, dieser Gerd. Diesen Nichtsnutz habe ich mit Biogift voll beschäftigt und in Bodenhaltung gekriegt! Und nun hat Gerd seine Ruhe, und krank wird der nie mehr werden.

Ja, ich also bin der siebte gewesen. Der siebte von sieben. Der Letzte beim Aussieben für die Planstelle. Ich werde wirklich übrig bleiben in diesem Sieb, ohne durchgefallen zu sein. Mittlerweile bin ich der vierte, nur noch drei fehlen mir, dann fehlt mir nichts mehr. Ach, toll!

Es muss jetzt sehr schnell gehen, bevor sich Claudias Unschuld am Tod von diesem Gerd erweist, muss Claudia ganz aus dem Rennen sein. Der Einstellungstermin rückt auch immer näher.

Denn Claudia ist die in der Zeitung genannte Hauptverdächtige, die mögliche Giftmischerin. Claudia ist Assessorin für Geografie und Chemie, nach ihrem Abitur hatte sie erst

Apothekenhelferin gelernt, bevor sie ihr Studium absolvierte. Und Claudia ist vor mir auf der Liste.

Und dann ist die noch politisch, ja politisch ist die ja auch noch, diese Claudia, eine richtige Hardlinerin. Angeblich soll sie sogar eine von diesen Castor-Attentäterinnen sein, die den Zugverkehr gefährden. Die hat sich dauernd für allen möglichen blöden Quatsch eingesetzt. Die hätte mal in der Apotheke bleiben sollen. Sie leistet ja was aus eigenem Antrieb, aber wofür? Reist in der Gegend rum und stiftet Unfrieden. Aber sie wird blitzartig Ruhe finden, dafür werde ich sorgen.

Sonst fallen mir nur äußerliche Merkmale ein. Ihr längliches, nicht sehr aufregendes Gesicht, von langen Haaren noch geschmält. Im Kontrast dazu ihre schweren Brüste, die sie meistens geschickt durch weite Pullover oder Jacketts camoufliert. Selten lässt sie diese in voller Pracht durch die Bekleidung hindurch wirken, nur dann, wenn sie deren Wirkung will. Erstaunlich schmale Hüften hat sie und wiederum sehr volle Lippen – und eine zugegebenermaßen wunderbare dunkle Altstimme. Schon schade. Es soll schnell gehen, nein, sie soll nicht so leiden.

Ich hatte mit Claudia früher ab und an über unsere Lage als arbeitslose Quasi-Lehrer gesprochen, sie wollte mich immer politisieren, so mit gesellschaftlichen Ursachen und so. Das klappte bei mir aber nicht. Manfred kann man mit solchen linken Sachen nicht kommen.

Sie hatte mir auch mal die Brechnüsse gezeigt, die sie in einem Stöpselglas, verborgen hinter ihren Büchern, aufbewahrte. Es waren Samen vom »Strychnos nux vomica«, dem Brechnussbaum, einige harmlos aussehende fragwürdige Früchtchen von ihrem letzten Indonesien-Trip. Nüsse, die

Claudia in einem verstaubten dunkelbraunen Glas hütete. Mündlich hatte sie mir deren geheime Kraft offenbart: die Alkaloide Brucin und Strychnin, einige hundertstel Gramm vom letzteren seien absolut tödlich. Claudia hatte gelacht, als sie mein vermutlich blödes Gesicht in dem Moment bemerkte.

»Die Nüsslein hebe ich gut auf. Mann und besonders Frau kann nie wissen, wozu die mal gut sein können.« – »Stimmt«, hatte ich geantwortet.

Ich kenne ja die Wohnung Claudias, kenne das Badezimmer meiner Kollegin und Konkurrentin. Ich habe schon mal die nahe, zu nahe an der Wanne angebrachte Steckdose moniert und weiß, was zu tun ist. Claudia ist durch ihre diversen Begegnungen mit der Staatsmacht innerhalb und außerhalb ihrer Wohnung nicht ängstlicher geworden, ganz im Gegenteil. Sie lässt ihre guten Bekannten zu jeder Tages- und Nachtzeit ein, sagen sie nur ihren Namen mit vertrauter Stimme durch die Wechselsprechanlage an der Haustür.

Bei einem früheren Besuch war ich an einige Brechnüsse gekommen, während sie das Bad aufgesucht hatte. Einen von diesen Giftsamen hatte ich Spuren legend zurückgelassen und die Kripo davon anonym in Kenntnis gesetzt. Das war die direkte Spur zum Müslimord an Gerd.

Ich verabrede mich gegen sieben telefonisch mit ihr für den Abend, weil ich ihr dringend etwas sagen müsse. Ich höre von Claudia das, was ich zu hören wünsche:

»Bitte komm erst so um acht, ich will vorher noch meine Haare waschen und so weiter.«

Ja, ihre langen etwas mausblonden Haare, die machen ihr immer viel Mühe, das kostet mindestens eine halbe Stunde in der Wanne. Sie wird mich aber per Türöffner reinlassen und dann wieder in die wassergefüllte Wanne hüpfen, wenn ich schon um halb acht läute.

Ich läute um halb acht bei Claudia. Rein in die Wohnung, Handschuhe an. Ins Badezimmer gestürmt. »Hallo!« gerufen, einen Begrüßungskuss auf die Wange der Überrumpelten angedeutet, sofort aber ihren Kopf mit der Rechten unter Wasser gedrückt, mit der Linken den Föhn gegriffen, mit der Rechten den Stecker gefasst, die Verblüffte kommt atemringend und prustend mit einem Nixenhaupt aus dem brodelnden Wasser: »Hey, was ist denn mit dir ...«, und dann – einen halben Schritt zurücktretend – das spannungsreiche Gerät ins Wasser geworfen. Ein Britzeln, ein Schrei, ein verebbender Seufzer und Claudia rutscht still mit dem Kopf unter den Wasserspiegel. Raus, die Bad- und Wohnungstür schließen. Und weg!

Es ist alles, trotz mancher Mängel im Spurenlegen, ziemlich gut gelaufen bisher. Es läuft wie in einem Turnier, einer nach dem anderen geht k. o. Morituri te salutant! Der Übrigbleibende kriegt alles. Fehlen bloß noch dieser Markus – direkt vor mir auf der Liste – und, na ja, Katinka.

Aber Moment –: Ich darf nicht einfach allein übrig bleiben. Je näher mir die Stelle rückt, desto eher werde ich auch zum Hauptverdächtigen. Bleibe ich einfach übrig, ist der Fall für die Bullen ziemlich klar. So blöd sind die nicht, dass sie da auf keine einfache Idee kommen. Es ist sowieso ein Wunder, dass die noch nicht bei mir aufgekreuzt sind. Vielleicht beobachten die mich schon eine Weile und warten, dass ich in eine Falle tappe. Ich muss vorsichtig sein. Andererseits, in zwei, drei Wochen erfolgt die Zuteilung der Stelle, bis dahin muss ich mit den Übrigen fertig geworden sein. Aber dann liefere ich mich als wahrscheinlicher Serienmörder fast selbst aus.

Ein verfluchtes Dilemma.

Und bloß noch zwei Wochen Zeit, dann muss ich alles klargemacht haben. Wie ein schwebender Felsen über der See zeigt sich eine klare Idee: Ich darf nicht allein übrig bleiben, um die Stelle zu bekommen. Ich muss die beiden restlichen, Katinka – ach Katinka! – und diesen Markus zu Schuldigen machen, sie auf die Verdächtigenliste bringen, sie irgendwie vergraulen oder sonst wie lebendig ausschalten.

Und immer noch die von mir fünftägig zu leistende Idiotenarbeit in der Aktenhaltung, der ich noch ausgeliefert bin. – Ach, es wäre so toll!

War mein ursprünglicher Selbstmordplan nicht besser gewesen? Den ich hatte, bevor ich begann, die Liste abzuleisten. Besser, süßer, mit Katinka, durch Katinka, zwischen Katinkas Schenkeln zu sterben? Aber das mit Katinka war lange vorbei, auch das, die hatte nun Distanz zu mir, meine alles lösende Chance war lange vertan.

Jetzt, am Samstag, nach zwei Bechern Kaffee, fühle ich mich gefestigter und greife, um mich abzulenken, zur Lokalzeitung. Ich nehme mir die zweite Seite des Lokalteils vor, lese, glaube einen Moment lang zu spinnen. Dort steht folgende Meldung unter der Überschrift:

»Zu Tode beworben. Hannover. Der arbeitslose Lehrer Markus Pike hatte sich nicht weniger als 13-mal in einer Woche einem Vorstellungsgespräch unterzogen. Aus dem 9. Gespräch heraus war er in das Siloah-Krankenhaus eingeliefert worden, weil er plötzlich unter extremen Atembeschwerden litt.

Die Ärzte stellten die Diagnose ›schwere Dauer-Angstzustände aufgrund von Vorstellungsangst‹. Sie schickten den arbeitslosen Akademiker wieder nach Hause. Nach kurzer Erholung widmete sich dieser erneut den noch ausstehenden Gesprächsterminen. Zwölf Stunden nach der letzten Vorstellung starb dieser Mann in seiner Wohnung an Atem- und Herzversagen.«

Ich fass es nicht. Das muss etwa gleichzeitig mit dem Hinscheiden Claudias passiert sein. Kaum zu glauben.

Markus sollte doch Claudia ermordet haben, das ist mein Plan. Aber ich habe noch gar nicht mit dem Spurenlegen begonnen! Was nun? Mit dem Ableben von Markus Pike, Lehramt für Geografie und Geschichte, zerreißt die von mir gebastelte Kette, der Todesreigen, zerreißt unwillentlich. Eine furchtbare logische Lücke im Mordsystem.

Es bleiben nur noch ich und Katinka übrig. Wenn ich passiv bleibe, dann kriegt sie die Stelle.

Ich rufe Katinka an und sage ihr: »Hast du gelesen, Markus ist tot.«

»Ich weiß. Es ist ein seltsames Gemetzel unter uns, und niemand kann dem anscheinend Einhalt gebieten. Die Bullen waren auch schon wieder bei mir. Ob ich meine, dass Markus hinter allem steckt, weil der doch mit allen Mitteln eine Stelle haben wollte.«

»Das hätte ich nie gedacht – Markus!«

»Ich weiß nicht, was du denkst, Manni. Ich weiß nur, dass ich etwas Neues anfange. Mit Geografie habe ich nichts mehr am Hut. Ich weiß nicht, was da los ist. Ob eine Art Fluch auf uns Geografen gelegt wurde oder so was Ähnliches. Ich bin fertig mit dieser Laufbahn, da will ich nicht mehr rein. Ich werde mich wahrscheinlich um Führungskräfte kümmern.«

»Um Führungskräfte?«

»Ja, Führungskräfte, Leistungsträger, Erfolgstypen, Charismatiker, Bosse.«

»Und wie machst du das, ›kümmern‹?«

»Das wirst du noch erfahren, mein lieber Exkollege.«

Wir beenden dieses Gespräch. Weiß sie was, ahnt sie etwas von den Mordgründen, vom Täter gar? Was soll's. Ein eindeutiger letaler Krankheitsfall bei Markus, kein Verbrechen. Nummer fünf auf der Liste einfach perdu. Markus ist somit zwar leider nicht mehr als Täter zu gebrauchen, aber für wen denn auch? »Exkollege« hat Katinka gesagt, ich bin ihr Exkollege!

Katinka ist aus dem Rennen, sie hat sich selbst gerettet, vor mir. Sie geht mir zum zweiten Mal aus dem Wege. Vielleicht gibt es jetzt einen echt guten, einen dritten Weg zu ihr. – Markus hat's aus dem Bewerbungsmarathon weggehauen, es ist nicht zu fassen! Ha, Leistung ist toll. Sie verlangt zwar manches Opfer, aber eröffnet auch jeglichen Weg zum Erfolg. Sekt oder Selters! Den Sekt zu mir, auf Katinka – und Markus, weil er so vorbildlich erloschen ist, Markus, ein wahrer Märtyrer im Dienste der Leistung.

Es ist nun so weit: meine offizielle Einstellung am Wernher-von-Braun-Gymnasium in Kirchrode. Ich, Manfred Knoche, Assessor des Lehramts, stehe vor dem Schulleiter und höre verträumt dessen letzte Worte der an mich gerichteten Rede:

»… freuen wir uns deshalb, Herr Knoche, Sie im Kreise des Kollegiums begrüßen zu dürfen.«

Und nun noch ein Telefongespräch mit Katinka:

»Ich bin doch tatsächlich im Schuldienst gelandet. Wieso du nicht? Du hast doch den besseren Abschluss, die besseren Personalakten? Gab es doch noch Schwierigkeiten mit dem Dezernenten wegen dieser blöden Denunziation damals?«

»Nein, überhaupt nicht. Sie wollten mir die Stelle durchaus geben, aber wie ich dir schon neulich sagte, Manni, ich wollte sie sowieso nicht mehr.«

»Was ist denn nur los mit dir, Katinka?«

»Ich mache mich selbständig.«

»Das hört sich ja sehr mutig an. Und in welcher Branche?«

»Das ist ganz einfach: Ich will Schriftstellerin werden und mir als Domina mein nötiges Geld verdienen.«

»Als Domina – du? – Darf ich dich dann mal besuchen?«

»Wenn du mich bezahlen kannst, Manni, gern! Ich werde mein Studio in der List aufmachen.«

»Ab jetzt geht das, Katinka, kein Problem mehr. Das kann ich mir doch jetzt leisten.«

Ich lege auf und stelle sie mir in dieser Szenerie vor, meine, das Klatschen und Keuchen zu hören, Katinkas eher warme dunkle Stimme dazu, und ich bemerke verwundert, wie ich zum ersten Mal bei solch einer Vorstellung geil werde.

In der Zeitung lese ich, bevor ich zum Unterricht eile:

»Die Kripo nimmt an, dass es in gewissem Anteil auch ein Kettenmord unter den arbeitslosen Lehrern gewesen war. Der überaus ehrgeizige und an Leistungsstress gestorbene Markus Pike – wir berichteten bereits über diesen Todesfall – war eventuell einer oder der Täter.

Aber auch unglückliche Umstände könnten ausschlaggebend gewesen sein dafür, dass mehrere arbeitslose Lehrer unter nicht ganz geklärten Umständen gestorben sind. Die Kriminalpolizei ist mit abschließenden Ermittlungen beschäftigt.«

Ich bin noch da. Nur noch einer von sieben. Die Liste für die Lehrerstelle ist geschlossen, ich habe eine außergewöhnliche Leistung gebracht. Die Stelle ist mein und es gibt fünf Arbeitslose weniger. Nein, es ist noch besser, nicht zu bescheiden, Manfred:

Katinka und ich sind auch aus dieser anderen Liste getilgt, der der Nichtstuer. Auf dieser Liste sind sieben Arbeitslose weniger. Sieben, dank mir, weil ich mich nach vorn gearbeitet habe! Was jetzt kommt, kann ich mir guten Gewissens leisten:

»Ach, es ist einfach toll jetzt als Lehrer: ein riesiger Dispositionskredit, schöne Kiefernmöbel, einen Weinkeller haben, einen dicken Schnurrbart wachsen sehen und in den nächsten Sommerferien vier Wochen in die Toskana!«

Schüsse auf der Allee

Er schoss und schoss. Konzentrierte sich, lockerte sich dann und schoss erneut. Es musste das einhundertachtundzwanzigste Mal gewesen sein, als er innehielt und Zwischenbilanz zog. Getroffen hatte er mit dreiunddreißig Schüssen. Gut, das sind immerhin mehr als 25 Prozent Treffer, tröstete er sich. Das wird noch.

So stand dort, etwas abseits von den quirlig Spielenden, winters wie sommers Olaf Kruthaas, immer eine Kugel in der Hand. Dieser Boule-Spieler war Anfang vierzig, mittelgroß, breitschultrig, mit einem Bauchansatz, leicht hängenden Wangen und schon ausgeprägten Tränensäcken versehen, ein körperliches Ensemble, das auf massives Essen und Trinken schließen ließ. Er spielte wenig, aber trainierte viel das Schießen mit einer Kugel genau auf eine andere, die zwischen sechs und zehn Meter entfernt lag. Hoch entschlossen und mit wuchtiger Körpersprache stand Olaf auf dem Feinkies und schoss und schoss. Er zielte auf eine mittlerweile zerbeulte Billigkugel, wie sie von Möbelläden oder Supermarktketten hin und wieder angeboten werden. Schoss und schoss weiter und hatte nun schon weit über 10.000 Trainingsschüsse absolviert. Er hatte also die Zahl überwunden, die der Legende nach ein Tireur oder Schießer angeblich benötigt, um als selbiger beim Boule oder Pétanque zu gelten.

Manchmal traf Olaf das anvisierte Eisen voll in der Mitte, schön. Rarer noch waren die fast triumphalen Momente, in denen er die liegende Kugel mit seiner geworfenen so traf, dass sie am Platz der weggeknallten liegen blieb. Das war das Nonplusultra, ein carreau, der Tausch der Kugeln. Wenn also plötzlich nach einem scharfen Knall statt der zu entfernenden die eben geworfene Kugel wie durch Zauberhand da lag und die weggeschossene irgendwo, kräuselte sich seine Haut mit einem leichten Schauer Glücks. Olafs Glücksschauer waren kostbar, weil sehr selten.

Denn viel öfter lochte Olaf. Dann klatschte seine Kugel Steinchen verspritzend in den Boden, hinterließ eine kleine Delle auf dem Alleeboden, also ein »Loch« – doch egal, er schoss weiter. Irgendwann würde »es« aus ihm schießen, ganz ohne Willen, ganz ohne Konzentration, heiter und so selbstverständlich wie das Atmen. Dieser künftigen Tatsache war sich Olaf gewiss.

Etwa zwanzig Meter weiter, zwischen den beiden Reihen prächtiger mittelgroßer Linden, knallte es nicht. Hier ging es noch nicht um Treffer oder gar den verblüffenden Kugeltausch beim carreau. Hier wurde nicht auf eine Kugel geschossen, sondern erst einmal eine Kugel gelegt. Legen war die andere Grundtechnik des Boule-Spiels. Es war die Kunst, seine Kugel möglichst nahe an die hölzerne Zielkugel zu bringen, ganz egal wie der Boden auch beschaffen sein mochte.

Eine junge Frau, so um die dreißig, war energischen Schritts und mit einem neuen Satz blinkender Kugeln ziemlich früh an diesem herbstlichen Sonntagnachmittag hier aufgetaucht. Hier war das Gelände der Allee-Bouler, hier übten sie manchmal, doch meistens spielten sie. Erst ein Spieler hielt sich dort, offensichtlich wartend, auf. Er war groß gewachsen, schnurrbärtig und höflich, es war Dedee. Eigentlich hieß er David Dremmel, in der Szene der Boulisten aber nur Dedee. Die Neuangekommene mit der schwarzen Kurzhaarfrisur stellte sich ihm als Vera vor. Den anderen, der da in einiger Entfernung in hohem Bogen eine Kugel nach der anderen warf, hatte sie gar nicht erst angesprochen. Dieser Spieler schien momentan nicht an einem Kontakt interessiert zu sein.

Dedee hatte zu ihm hingenickt und ruhig gesagt: »Olaf ist im Rausch. Der schießt noch eine Weile.«

»So, der schießt, ist ja interessant«, hatte Vera etwas nachdenklich entgegnet. Dedee hatte sie leicht amüsiert angesehen. Vera war vom Blick Dedees völlig unbeeindruckt geblieben und fuhr ruhig fort:

»Ich möchte gern mitspielen bei euch. Aber eigentlich will ich es erst richtig lernen, wie die Kugel in der Hand zu halten ist und so. Ich habe euch schon oft beobachtet und fand es sehr faszinierend, wie das so abläuft.«

Dedee seufzte innerlich. Olaf würde sein Training fortsetzen, die anderen, wie Carla, Dirk oder Franz, waren noch nicht zu sehen. Also gut, ein bisschen Kugelpädagogik muss eben sein, vielleicht ist sie anstellig, dachte er. Also los!

Er zeigte ihr zuerst, wie man die Kugel oben greift, sozusagen »überdacht«, dann, dass beim Kugelwurf der Arm möglichst gerade und gleichmäßig geschwungen werden sollte und so weiter. Vera machte einen sehr sportlichen Eindruck auf ihn. Sie bewegte sich flüssig, energisch und konnte sich gut konzentrieren.

Dedee sah kurz zu Olaf hinüber, dann konzentrierte er sich wieder ganz auf Vera. Sie lernte erstaunlich schnell, hielt die Kugel genau richtig, fest und entspannt zugleich. Sie schien Talent zu haben. Sie wusste schon, dass die eigene Kugel erst einmal möglichst nahe an die Zielkugel, das Schweinchen oder die Sau gebracht werden musste, und versuchte es mehrmals mit Erfolg. Dedee brachte Vera also das Legen bei und betonte, dass eine Kugel vor der Sau am besten sei, da sie den Gegner beim Legen seiner Kugeln behindere – halt wie beim Curling oder Boccia. Alles Weitere würde sich im Spiel ergeben, wo man leicht weiter lernen und das dann vertiefen könne.

Unterdessen hatte sich die Allee belebt. Noch spielten die Allee-Bouler nicht mit Eisen, sondern plänkelten mit Worten. Besonders Dirk und Franz pflegten dieses Vorspiel mit gebremster Aggressivität. Franz legte los:

»Manche weigern sich einfach, ihren Kopf zu benutzen und auch nur einmal über ihre Schießbewegung nachzudenken!«

»Manche weigern sich auch, über ihre Beweggründe nachzudenken«, konterte Dirk.

»Was redet ihr da? Das ist ja wohl zum Schießen!«, warf Carla ein.

»Bevor keine Kugel auf dem Boden liegt, gibt es auch nichts zu schießen«, kalauerte Franz.

»Wir sollten einfach die Kugeln bewegen, denke ich – oder weigert sich jemand?«, fragte Dirk.

»O. k., lasst uns was Zählbares tun«, schlug Makebe vor.

»Wer ist eigentlich diese Frau, die da hinten mit Dedee übt?«, lenkte Franz vom Thema ab.

»Lass die mal in Ruhe, jetzt wird gespielt«, rügte ihn Carla. Dirk beendete den Wortwechsel: »Genau! Wer fängt an? – Was willst du, Franz, Kopf oder Schwanz – äh Zahl?«

Auf der schnurgeraden Herrenhäuser Allee beförderten Boulerinnen und Bouler nun ihre Kugeln auf die mal glattharte, mal schmierige, mal feinkiesige Fläche. Der breite Weg war zu den Rasenrändern hin tückisch gekrümmt und im Abstand von einigen Metern von halbhohen Linden gesäumt. Unter ihren Kronen waren auf der dem Park zugewandten Seite in größeren Abständen Bänke aufgestellt. Auf der anderen Seite lief auf etwa hundert Meter Länge parallel zur Allee die bis zu drei Meter hohe Stadtbahntrasse, befestigt mit einer grob gefügten Sandsteinmauer. Hier, wo auch eine Treppe Richtung Nordstadt an der Mauer auf die Trasse führte, waren nachmittags immer Boulomanen im Alter zwischen sechzehn und siebzig zu finden. Manchmal waren es nur drei, manchmal drei Dutzend, die dort mit mäßiger Lautstärke ihre handlichen stählernen Hohlgefäße durch die Luft warfen.

Gelegentlich tauchten Pressemenschen im Park auf, um ihre diversen Blätter mit ungenau verstandenem Boulistischem aufzumischen und anzureichern. Danach war in den Gazetten für Eingeweihte Erstaunliches zu lesen: »eine ruhige Kugel schieben«, »biergeöltes Punktemachen« bis »gelassenes französisches Flair«. Tatsächlich ging es weder ruhig, gelassen noch durchweg alkoholisiert zu. Den meisten reichte der Rausch des Spiels. Auch mit Bildern offensichtlich exotischer Spieler wurden die kenntnisreichen Lokalseiten gern geschmückt. Olafs wuchtiger und etwas überquellender nackter Oberkörper war einst im Sommer abgebildet worden. Oder mitten im Winter prangte vierfarbig ein schmaler, lang aufgeschossener, unglaublich französisch wirkender Spieler im Lokalblatt. Das war Dedee, vollständig bekleidet, bei dem von Haltung über Schnäuzer bis hin zur im Mundwinkel klemmenden Filterlosen aber auch alles stimmte. Die Zigarette hatte sich Dedee allerdings erst auf mehrfaches Drängen der Fotografin ins Gesicht gesteckt, er war seit Jahren Nichtraucher.

So kam es, dass die Allee-Bouler eine gewisse Bekanntheit in Hannover errangen und der dynamische Spieleladen-Inhaber Peter Gaul sich Rat suchend an einen dieser Spezies wandte. An diesem sonntäglichen Herbstnachmittag, so gegen halb drei, schritt Peter Gaul mit drei geschwärzten Kugeln auf Olaf zu, der sich dort, offensichtlich noch allein, boulistisch betätigte.

»Hey, ich bin der Peter vom neuen Spieleladen ›Ikaros‹. Ich habe gehört, dass sich hier sonst immer so viele tolle Boule-Spieler, ja richtige Kugelexperten herumtreiben sollen. Ich habe nur mal eine kleine Frage, vielleicht kannst du mir ja helfen.«

»Hallo, ich bin Olaf«, gab der andere freundlich zu verstehen und reichte Peter eine große, aber nicht zu feste Hand.

»Ja, mmh, wie soll ich sagen, es geht um diese Kugeln hier. Eine ganze Partie aus Frankreich ist mir von privat besonders preiswert angeboten worden, die sollen normalerweise ziemlich teuer sein. Ich finde sie schön, kenn mich in den Boule-Feinheiten aber nicht so aus, darum wollte ich mal wissen, was von diesen Eisenteilen hier zu halten ist.«

Olaf legte seine teure Wettkampfkugel, eine ATX, ab, wog eine der mattschwarzen Kugeln Peters in der Hand, warf sie etwas hoch, fing sie auf, ließ sie in der Hand hin und her rotieren und schüttelte leicht den Kopf. »Mit der stimmt etwas nicht.«

Olaf sah sich die auffälligen Kugeln genauer an. »Die sehen aus wie schlecht angestrichen. Und da, eine fehlerhafte

Schweißnaht, so was kommt normalerweise nicht aus Frankreich.«

»Wie meinst du das?«

»Na ja, sehr unsauber gearbeitet. Ein komisches Ding, ich müsste sie mal werfen.«

»Eigentlich geht das nicht, die sind ladenneu.«

»Und wahrscheinlich vorher irgendwie zurechtgemacht, gefälscht, eben boules truquées. Wenn du so was verkaufen willst – deine Sache.«

»O. k., dann wirf mal eine.«

Der erfahrene Spieler stellte sich in Positur, federte mit paralleler Fußstellung seinen sicheren Stand aus, erstarrte und fixierte ein imaginäres Ziel; warf nun aus langer Ausholbewegung mit geradem Arm die Kugel in einem halbhohen Bogen. Sie kam mit einem dumpfen Geräusch auf, rutschte fast mehr als sie rollte, ja rollte eigentlich gar nicht, sondern bewegte sich in fast ruckartigen Bewegungen auf dem feinen gelblichen Schotterboden, um dann unvermittelt mit einem kurzen Wackler zu verharren.

»Das ist ja 'n zickiges Ding«, sagte Olaf, »die würde ich ohne Weiteres aufsägen, da ist irgendwas drin.«

»Spinnst du? Aufsägen? Das sind 60 Euro.«

»Peter, mach's lieber. Der Ärger mit diesen Dingern, geraten sie unter erfahrene Spieler, kommt dir teurer zu stehen.«

Dedee fand, er habe Vera nun genug gelehrt. Er schlug vor, sie solle einfach erst mal mit den anderen spielen, er müsse nun gehen. Zum Spielen hatte er keine Lust mehr und in zwei Stunden musste er sowieso wieder am Steuer seines Taxis sitzen. Sein Ziel war jetzt der Königsworther Platz, um sich dort in dem auf Fleischgerichte spezialisierten Restaurant ein schönes Schweineschnitzel mit grünen Bohnen und Kartoffeln einzuverleiben. – Ach ja, diese harmlosen Anfänge von etwas Neuem!, dachte Dedee. Erinnerungsbewegt machte er sich auf den Weg.

Boule oder Pétanque hatte ihn in Frankreich, da bei Cassis, südlich von Marseille, nur am Rande und dann über ein Jahrzehnt gar nicht interessiert. Es waren eigentlich bloß die freundliche Wärme, das Bewegen darin und ein gewolltes, tröstliches Flair von Abwesenheit gewesen, was ihn fasziniert hatte.

Dann war Katharina seine Sonne geworden, hatte ihn geliebt und ihn nach drei süßen, ja süffigen Jahren, könnte man sagen, plötzlich verlassen. Sie hatte geweint, war verzweifelt – beinahe – gewesen, aber konnte nicht anders, als zu ihrem Piiieter, ihrem Peter Goodman zu ziehen. Dieser verdammte Liverpooler Galerist, den sie anfänglich nichts als komisch empfunden hatte. Der hat's hingekriegt, dass sich ihre wunderbaren Schenkel ihm öffneten, als er sie in das walisische Haus am Meer eingeladen und -gefangen hatte. Ooh, das ist wirklich soo was von toll, hatte sie ihm mit ihrem reichen Ton- und Mimikspektrum mitgeteilt. Piiieter hat sie, diese heimliche Romantikerin, auf seinem Wuthering-Heights-Leim gefangen. Von Dedees unkomfortablem Untermieterdomizil aus war nicht mal das Plätschern des Lindener Nachtwächter-Brunnens zu vernehmen. Und dieser gute Mann mit much money, dieser Goodman, gebot per Haus über original Meeresblick, Background-Rauschen und salzhaltiges Luftschnappen.

Nach Katharina war Dedee vom klassischen Flucht- zum Zwangs-Bouler geworden, der zu oft mürrisch, reizbar und sehr eigenwillig seinen Job mit den drei oder zwei Kugeln verrichtete. – Aber auch Pétanque war nicht mehr in der Lage,

Vertrauen in die komplizierte Welt zu erzeugen – und Vereine schon gar nicht!

Dedee hatte nach seiner ersten Bekanntschaft mit Vereinen, damals als Handballspieler, diese Gebilde schnell als abstoßend empfunden. Und doch brauchte er einen Verein, um mitspielen zu können, um zumindest der Möglichkeit nach gegen gute Teams antreten zu können. Es war eines der vielen Dilemmas seines Lebens: Sein ihm selbst oft widerwärtiger viriler Ehrgeiz stand gegen seine tiefe Unversöhnlichkeit mit den Verhältnissen und Leuten, die in einem Klima von Missgunst andauernd Leistungen einklagten. Er wollte darauf zwar eigentlich nicht eingehen, erheischte aber dennoch immer wieder die Anerkennung der anderen.

Seit einiger Zeit war Dedee Vorstandsmitglied der Allee-Bouler, zusammen mit Carla und Franz. Die brünette Carla gebärdete sich nicht nur verbal als bissige Allzweckspielerin, war aber fair bis zur Selbstverleugnung. Franz war ein oft erfolgreicher Spieler, ein guter, aber empfindlicher Tireur; unduldsam, wenn seine Leger nicht brauchbar legten; der eine Fresse zog, wenn er nicht sogar laut moserte oder gestisch seine Wut und Enttäuschung ausbreitete; arrogant, doch manchmal bloß ein Nervenbündel, das seinen Spielpartner kräftig mit runterziehen konnte. Das waren die äußerlichen Unbehaglichkeiten, die Dedee neben anderen beim Boule in Kauf nahm. Aber seine gewisse Spielbesessenheit ging leider tiefer.

Es war eine sehr intime Störung, die ihn bedrückte, anfangs noch mit Ironie, dann mit Schrecken: Während er mit einer Frau aufs intensivste zusammen war, ging er ungewollt in seiner Vorstellung vergangene Partien durch, erörterte stumm, welche Schwierigkeiten wohl der oder die mit ihm als Partner hätten. Auch wenn er sich wieder zurückbrachte, ja zurückzwang zur Präsenz mit einer Liebsten, bewegte sich schattenspielend Pétanquespezifisches im Hintergrund oder schob sich zappelnd zwischen all das sensationell Sinnliche. Schon länger wollte er aus diesem inneren Zwangskino raus – aber wie?

Nach achthundert Metern, schon nahe am verkehrsdurchtosten Königsworther Platz, kam Dedee zur großen Plastik, die dort das Grün überragte. Er hielt inne und konzentrierte sich auf das, was er sah. Es war eine große, hohle, rostige Stahlkugel, neben ihr schlängelte sich eine vierkantige Bandvolte, ebenfalls aus oxidiertem Stahl. Dieses gewundene, mehrere Meter lange Metallgebilde erschien wie die Abwicklung einer Kugeloberfläche. Der schwungvolle Bogen und die Schleife des Bandstahls überraschten nicht. Denjenigen, die schon einmal rohe Kartoffeln geschält hatten, waren derartige Kurven vertraut. Irritieren mochte der rechtwinklige Knick, der die weiche Linienführung des Bandes hart unterbrach. Der konsequent entwickelte Schwung war also nicht ohne die abrupte Richtungsänderung zu haben. Der Schöpfer dieser Plastik hatte übrigens nicht auf das Boule-Spiel gezielt, wollte nicht das Pétanque ästhetisieren. Er hatte die Beziehung Kugelkörper–Fläche–Linie im Auge gehabt, die er metallen ausformulierte. Aber der Künstler wie Dedee wussten: Wer die perfekte Form der Kugel in die Fläche brachte, hatte mit Überraschungen zu rechnen. – Ach ja, wieder so ein griffiges und allzu enges Bild, so eine wichtigtuerische Metapher, weil er nun mal den Kugeln verfallen war, dachte Dedee. Lieber ran an das Schnitzel!

Während auf der Allee wieder einmal ein Spiel lief, kamen zwei Männer die Mauertreppe herunter. Sie fummelten an den Steinstufen des Gemäuers herum. Die Kripo in Zivil. Das war nichts Aufregendes für die Bouler, sie kannten das. Früher war schon mal zu lesen gewesen, dass im und am Georgengarten Rauschgiftverstecke existierten oder irgendwelche Deals abgingen. Das war nicht der Boulerinnen Stoff, das war nicht ihre Sucht – sie hatten die Kugeln, und viele kamen nicht von ihnen los. Außerdem – seit sie hier regelmäßig eisenwerfend ihrer Passion frönten, war die einpfeifende und fixende Szene verschwunden.

Dedee nuschelte zu Franz rüber, der gerade legen wollte: »Hoffentlich entdeckt die Polizei bei der Suche nach heißer Ware unseren Keller nicht!« Franz winkte ab und legte seine JB genau vor das Schwein.

Der »Keller«, das war ein bisschen ausgehöhlte Trassenmauer, ein Not- und Reservelager. Denn man kannte das ja: Einer kommt »mal kurz vorbei« und ist kugellos, eine wünscht eine Erfrischung und ein anderer – immer der Gleiche – hat das Park-Bouler-Info mit den neuesten Turnierdaten immer noch nicht. Und all diese kleinen wichtigen Dinge wie zwei, drei Sätze Kugeln, einige Flaschen Wasser und die kleinen DIN A5 großen »Allee-Infos« wurden hier deponiert.

Ein Spieler hatte sich damals nach gemeinsamer Erörterung den vorgesehenen Platz für den diskreten »Keller« angesehen und gesagt: »Alles eine Frage der Camouflage. Das kriegen wir hin.« Der ehemalige Kulissenbauer vermaß ein gebüschgedecktes Rechteck aus vier Quadern. An einem lauschigen Sommerabend waren diskret vier Blöcke aus der Mauer herausgenommen, weggeschafft und das Ergebnis fachkundiger Heimarbeit eingefügt worden: eine massive Kunststoffplatte, geformt, angepasst, eingefärbt in verwitterter Sandsteinoptik mit Moosbesatz, eben wie ein natürlich-denaturiertes Element des quadergefügten Bauwerks.

Nur ein harter Kern wusste Bescheid und hielt eisern dicht. Unter sich sprachen die Betreffenden vom »Keller«, öffentlich wurde sich nach dem Wohlergehen von »Gottfried« erkundigt. Und immer, wenn einer an dieser Stelle durchs Gebüsch an die Mauer trat, dachte der nichtwissende Beobachter, der Wegtretende schiffe mal eben.

Als die beiden Zivilfahnder die Treppe und ihre Umgebung untersuchten, machte sich daher auch keiner Sorgen um den versteckten Keller »Gottfried«.

Die beiden Zivilbeamten hatten die Treppenumgebung an der Mauer abgesucht, waren aber nicht fündig geworden. Der Spielbetrieb war ungerührt weitergelaufen.

Dunkelheit hatte sich über den Georgengarten gelegt, verlassen lag die Allee im Licht eines wolkenumflorten Mondes. Eine Gestalt näherte sich auf dem helleren kiesbedeckten Hauptweg vom Königsworther Platz her dem Boule-Gelände. Dort, wo sich die mauerbefestigte Stadtbahntrasse wie eine Rampe zu erheben beginnt, stutzte die spazieren gehende Person. Weiter nordwestlich an der Mauer, etwa da, wo die Treppe zur Nienburger Straße führt, hatte sie ein bewegtes Schimmern ausgemacht. Nanu, was tut sich da?, dachte die einsam vor sich hin schreitende Gestalt. Um nicht bemerkt zu werden, wich sie linkerhand vom kiesknirschenden Hauptweg ab. Als sie in Höhe der Lichterscheinung war, näherte sie sich vorsichtig auf Sichtweite dem mit einer Taschenlampe befunzelten Geschehen. Zwei Männer hantierten an der Mauer herum. Einer hob kleinere Kisten oder

Kartons vom Boden auf, die er irgendwie verstaute, der andere hielt die Taschenlampe und redete halblaut auf seinen Partner ein.

Die observierende Gestalt war verblüfft: Der mit der Lampe – Moment, das ist doch ein Allee-Bouler, klar, das ist Olaf. Was hat der denn hier nachts zu tun? Und wer ist der andere? Nein, keine Ahnung.

Nach knapp fünf Minuten waren die beiden Nachtarbeiter schon fertig. Olaf knipste das Licht aus, murmelnd trennten sie sich. Olaf nahm den Weg nach Linden, der andere eilte die Treppe hoch.

Das ist ja interessant, was hier abgeht, dachte sich die von der Beobachtung beeindruckte Person. Da muss ich doch gleich mal zu dieser Mauerstelle, mal sehen, was ich da vorfinde. Fünf Minuten später schwelgte sie schon in triumphalen Gedanken. So etwas habe ich doch schon lange gesucht, besser geht's nicht. Meine Chancen, endlich voranzukommen, werden wachsen. Welch schöner Zufall!

Am nächsten Tag kam die Polizei wieder zum Spielgelände, ganz früh am Nachmittag, uniformiert und verstärkt. Carla blieb ruhig und lästerte: »Sieh an, neue Mitspieler: drei Bullen, drei Bulletten, plus ein Wildschwein.«

Tatsächlich, die sechs hatten ein mittelgroßes langborstiges Schwein dabei.

»Die ergäben eine pittoreske Triplette-Partie – Kugeln haben die ja genug«, meinte Dedee.

Es war ein sonniger Oktobertag, und ein alter, faltiger Hauptkommissar führte das quirlige Rüsseltier an einer langen Leine die Sandsteinquader entlang. Dedee, der mit Dirk gerade ein flottes Spiel um ein Bier laufen hatte, erstarrte.

»Ach du Scheiße, das muss die legendäre niedersächsische Supersau Claudia sein. Dieses Polizistenschwein, hab ich in der Zeitung gelesen, ist auf Hasch, Äitsch, Kokain und Sprengstoff abgerichtet. Da bin ich ja mal gespannt!«
»Eine typisch deutsche Präzisionswildsau oder wie?«
»Nein, nein, da soll auch noch was Asiatisches mit drinstecken.«
»Mal sehen, ob das Schwein rauskriegt, was in der Mauer steckt. Wenn sie an Gottfried kommt, dann gute Nacht!«
Claudia, die Präzisionswildsau, spannte niemanden lange auf die Folter. Nach einer knappen Minute begann sie am Gemäuer, dort wo das Buschwerk anfängt, heftig zu schnuppern. Fast gleichzeitig traten die kleinen Schweinefüße in Aktion und scharrten, was das Zeug hielt.
Dedee und Pit sahen wie gebannt zu. Eine alte Geschichte vom Pfarrlandplatz in Linden fiel Dedee ein. Wie war das noch gewesen? In einer Wohngemeinschaft dort, drei Beamte des Rauschgiftdezernats, zwei Zivis, ein Spürhund. Irgendwie hatten die potentiellen Täter kurz davor Wind gekriegt. Die Schnüffler trudelten ein und wurden mit dem Tatbestand konfrontiert, dass zwanzig Leute die drei Zimmer blaugrau gequalmt hatten. Man war behördlicherseits desorientiert, der Hund jaulte angeekelt, schnaubend und hüstelnd brach das Trio die Suche ab. So staatsfeindlich kann – trotz Tabaksteuer – das Rauchen sein. Womit aber könnte man bloß dieses Schwein stoppen?
Dedee und Dirk traten den filzenden Uniformierten näher.
»Oh verdammt, ich hab's geahnt, die Sau ist am Tiefkühlfach!«, stöhnte Dedee leise. Die ihm am nächsten stehende Polizistin, eine langzopfige Blondine, wandte sich zu ihm um. »Was ham Sie hier zu suchen? Kommense mal her, beide!«

»Ach, das sind Kugelspieler, Buhler, die sind immer hier. Die sind schon o. k. Aber Personalien – klar, kann ja nicht schaden, also man los«, warf ein offenbar höherrangiger Mitbeamter ein. Dedee und Dirk traten zögernd noch näher.

Während die Polizistin ihr Büchlein zückte, bemerkte Dedee, wie Claudia vor der Mauer plötzlich einen breiten gelblichen Strahl von sich gab. Dedee musste lachen, weil ihm das säuisch emanzipiert vorkam. Genau an dieser Stelle schlagen gewöhnlich die Männer – stehend wie seit der Steinzeit – ihr Wasser ab. Dazu fiel ihm noch das letzte Park-Fußballturnier ein, bei dem tatsächlich ein gemischtes Team unter dem Namen »Claudia geht schiffen« angetreten war. Dedee gnickerte weiter etwas krampfhaft vor sich hin.

»Kann ich mitlachen?«, fragte die Uniformierte mehr nüchtern als streng, »Name, Adresse und Ausweis, wenn ich bitten darf.«

Als einige der Alleespielenden am Morgen danach die Zeitung aufschlugen, mussten sie heftig schlucken: »Allee-Bouler von Claudia als Dealerbande enttarnt?«

Neben einem kurzen, relativ vorsichtigen Bericht über 15 kokaingefüllte Boule-Kugeln war auf der Lokalseite eine Glosse über das Pétanque im Park abgedruckt, die einige verblüffende Passagen enthielt:

»... in einer tiefen Grotte mit Rauschgift geladene Kugeln ... jenseits des an sich schon aggressiven Spiels ... wie ein kleiner Krieg mit einer Art Kanonenkugeln zelebriert ... wenig Rücksicht auf Spaziergänger ... das Rollen mit den Stahlkugeln nur als Tarnung für ihre trüben Machenschaften ... Jenseits der Stadtbahnmauer wurden Menschen skrupellos ins Verderben getrieben.«

Verantwortlich zeichnete eine gewisse Ute Olm. Dedee schüttelte nur das langhaarige Haupt. Was hatte man der getan? Diese Journalistin erinnerte ihn an den Song des hannoverschen Comedian Nico Walser: »Ute, vergiss das Jenseits, Ute. / Du wirst bestimmt nicht wiedergebor'n / und wenn, dann bestimmt als Grottenolm.«

Dedee wollte sich trotz alledem per Telefon mit Dirk zu einem frühen Einzelspiel verabreden, aber natürlich war der verblüffende Fund erst mal das Thema:

»Das kann doch alles nicht wahr sein. Gestern Mittag habe ich noch einen Satz alter Kugeln im ›Gottfried Keller‹ deponiert und unser ebenso hoch- wie schwergewichtiger Olaf war auch dabei. Da war nix von diesen angeblich gefüllten schwarzen oder silbrigen Billigdingern zu sehen gewesen.«

»Das muss jemand mal beobachtet haben, mit unserem Keller. Und der hat uns diese Kuckuckskugeln da reingelegt.«

»Bloß warum? Warum?«

Es war später Nachmittag geworden auf der Allee. Dedee war schon eine halbe Stunde eher als die anderen da gewesen, weil er sich vorgestern mit Vera schon um 14 Uhr zum Training verabredet hatte. Vera war nicht gekommen. Missmutig hatte er auf Mitspieler gewartet, die dann auch kamen, was seine Laune deutlich verbesserte. Nun waren es noch vier Gestalten, die ihr letztes Doublette für den heutigen Tag spielten: Neele mit Makebe gegen Carla und Dedee. Makebe war von tiefbrauner Hautfarbe und sprach in schönstem Kontrast dazu einen breiten hessischen Akzent. Als Bouler war er guter Durchschnitt, aber sehr beliebt, da sich sein Spaß am Spiel mitteilte und er auch die Trübsinnigen, Übellaunigen und Supercoolen zu aufgekratzten Partnern machen konnte.

Es stand gerade 7:7 und die vier hatten schon ein bisschen mit dem Dämmerlicht zu kämpfen. Makebe suchte gerade seine weggeschossene Kugel in der Nähe der Treppe, als eine Gestalt zügig von oben herunterkam. Es war ein jüngerer Mann mit kahlem Kopf, einer schwarzen Bomberjacke und Springerstiefeln mit weißen Schnürbändern. Makebe registrierte aus böser Erfahrung blitzartig all diese Elemente eines Kitsch-Neonazis und bewegte sich ruhig zu seinen Mitspielern zurück. Der Kahlköpfige folgte ihm aber eilig, stellte sich ihm in den Weg und fauchte: »Gib Stoff raus, oder ich stech dich ab, Scheißkanake!«

Makebe hob seine leeren Hände und sagte: »Ey, isch hab keinen Stoff, isch habe nie welchen gehabt. Wie kommst du drauf?«

Der Typ holte sein Springmesser heraus und machte einen weiteren Schritt auf Makebe zu.

»Merde, isch hab nix!«, rief Makebe mit ungewohnt hoher Stimme. Furchtsam schaute er über die Schulter zu den drei Spielern, die anscheinend wie gelähmt verharrten. In fast neun Meter Entfernung stand Dedee, hatte eine Kugel in der Hand und schien sich zu konzentrieren.

Trotz seiner Furcht fiel Makebe auf, wie blass Dedee geworden war und dass es irgendwie in ihm arbeitete. Plötzlich drehte sich Dedee wie ein Geschützturm in seine Richtung und holte mit seinem kugelbewehrten Arm blitzartig aus. Makebe sah das Stahlgeschoss auf sich zukommen. Dann waren das Klirren und der Schrei des Messerhelden fast eins.

Der Typ glotzte Makebe bloß an und hielt sich jaulend die Rechte. Sein Messer blinkte einige Körperlängen neben ihm aus welkem Laub. Die Glatze schrie noch irgendetwas, humpelte merkwürdigerweise die Treppe zur Stadtbahntrasse hoch und war weg.

»Ein klasse Schuss!«

»Unglaublich!«

»Mensch, danke!«

»Ey, wieso sucht eine bekloppte Koksglatze hier Rauschgift?«

»Bedanke dich bei dieser Journalistin, dieser Olm, die uns als schießwütige Dealerbande verhackstückt hat.«

Makebe schüttelte immer noch fassungslos den Kopf. Alle vier sammelten ihre Kugeln ein und berieten sich kurz. Das musste erst einmal verarbeitet werden. »Da Ettore?«, fragte Neele. Die übrigen nickten.

Heinz Mosterd zog seinen Uniformmantel fester um die mageren Schultern und verließ mit einem anderen Beamten die Wachstube. »Na dann, auf zur Stichprobe.« Durch den stillen fisseligen Regen sah er einen großen silbrigen Geländewagen an den Grenzübergang heranrauschen. Heinz Mosterd trat auf die Fahrbahn und winkte das Fahrzeug mit seiner Dienstkelle an die Seite.

Während sein Kollege vom Zoll beobachtend einige Meter hinter ihm blieb, kontrollierte Mosterd die Papiere des Fahrers. Der junge Mann, ein kunstgebräunter, freundlich-glatter, fast kahl geschorener Deutscher so um die 25 machte keinerlei Schwierigkeiten und hatte korrekte Papiere. Als der Zollbeamte sich den Wagen innen ansah, fand er unter dem Rücksitz sechs Sätze à vier billiger Freizeit- oder Campingkugeln vor.

»Sie spielen Boule?«

»Ja, na klar, super Spiel.«

»Sie spielen wohl viel, auch bei Turnieren, dass Sie so viele Kugeln brauchen? – Keine Sorge, die sind nicht zollpflichtig.«

»Ja, doch, habe auch schon einige Turniere gewonnen. Spiele aber auch mit Freunden und so. Deswegen brauche ich immer ein paar mehr.«

»Verstehe, verstehe.« Heinz Mosterd sah sich die Geräte des vorgeblichen Spitzenspielers genauer an, entnahm eine silbern Schimmernde der Verpackung und wog sie prüfend in der Hand.

Es war eine typische Freizeitkugel: dünnes Stahlblech mit Aluminiummantel, blinkend, billig, ungenau, mehr Schein als Sein. Dennoch war sie etwas Besonderes, denn eine daumennagelgroße Stelle zeigte Heinz Mosterd, dass diese Kugel offensichtlich manipuliert worden war.

»Prima«, sagte der Zöllner aufmunternd und legte die Kugel wieder zurück zu den anderen. Besonders freundlich lächelnd kam seine nächste Frage: »Kann man damit gute carreaux machen?«

»Äh was, was für welche Quadrate?«, entgegnete leicht verdattert der Boules-Besitzer. Der Zöllner lächelte betont freundlich: »Na ja, so ein carreau, so ein richtiges Quadrat auf dem Platz eben.« – Der Gefragte fing sich wieder und lachte mit wiedergewonnener Sicherheit: »Ja, doch, carreau, das ist kein Problem, an jeder Ecke eins.« – »Prima«, meinte der Zöllner heiter, »dann schließen Sie bitte Ihr Fahrzeug ab und folgen Sie mir.«

So ein schöner, blöder Fang – wie im Film, dachte Heinz Mosterd. Das ist keine Zerstreutheit, der hat einfach überhaupt keine Ahnung, wovon gerade gesprochen wird. Weiß nicht mal, was ein carreau ist, und will in Frankreich Turniere gespielt haben, der Idiot. Unglaublich, was die Rauschgifthändler neuerdings für Pfeifen auf die Piste schicken!

Der zu naive Kugeltransporteur fand sich kurz darauf in den Fängen der Kripo wieder. Immer noch grübelnd, wie dieser einfache Beamte das geniale Koksversteck entzaubert hatte, hörte er: »Wir brauchen mal eben die Eisensäge.« Kurz darauf lagen zwei halbe Kugelschalen auf dem Tisch und der innere Zauber der runden Konterbande auf der Hand:

In die Freizeitkugeln war jeweils ein kreisförmiges Loch geschnitten, gefüllt, die ausgesägten Metallscheibchen sorgfältig mit Metallkleber wieder eingefügt und die gefälschten Kugeln mit Silberbronze überstrichen worden. Die Füllung war exquisit: sauberer, weißer Schnee, feinstes Nasengold in Plastikfolie, darüber festes Stanniol, verpackt zu Portionen à 50 Gramm. Endlich waren diese Billigkugeln mal mehr als sie schienen, viel mehr.

»Verdammt, die Spur führt direkt zur Marseillaise.«

»Was? Wohin? Was hat der Koks mit der französischen Nationalhymne zu tun, hä?«

»Na, nach Marseille, meine ich, da, wo dieses Riesenturnier gespielt wird, das auch Marseillaise heißt.« Heinz Mosterd wunderte sich immer wieder über Kollegen, die auch keine Ahnung vom französischen Nationalsport hatten. »Ich meine, wetten, dass der Stoff aus Marseille kommt?«, sagte er seinem Kollegen. Für einen Moment standen die Bilder aus dem vergangenen Sommer vor seinen Augen. Die Marseillaise, zwei Runden auf heißem Asphalt mit Mühe irgendwie gewonnen, Hannes, sein Tireur, hatte nur ein Loch geschossen, unglaublich; dann auf staubbedecktem Parkweg ein dänisches Triplette weggefegt und schließlich von zwei netten älteren Männern und ihrer schießenden jungen Partnerin unter sanften Platanen mit 0:13, einem veritablen Fanny verabschiedet. Adieu, Marseille, aber als stolzes 519. von 7816 Teams!

»Was du alles weißt, Heinz, mach mal lieber deinen Bericht noch vor Feierabend fertig.« Heinz fand sich darein, schritt wieder ins Dienstzimmer zurück und machte sich ans Werk. Im Geländewagen des Dealers hatte er eine Karte der Region Hannover gefunden. Er war sich ganz sicher, dass er in die schon lange vermutete Kokain-Connection Marseille-Hannover eingegriffen hatte.

Nachdem die kriminellen Verwicklungen eines Park-Boulers und eines Spielwarenhändlers rausgekommen waren, hatte Franz seinen großen Auftritt vor den übrigen Allee-Boulomanen gehabt: »Es muss bei uns mehr Ordnung, mehr Struktur rein. So was wie den ›Keller‹ darf es nicht mehr geben. Die Binnenstruktur des Vereins muss ausgebaut und funktionaler gemacht werden. Training nach Leistungsgruppe und übrigen einteilen, und ein Sportwart muss her.« Der ganze tief verinnerlichte leitende Verwaltungsbeamte brach sich nun Bahn in Franz, realisierte Dedee betrübt. Franz deutet außerdem an, dass hier im Park sowieso zu viele stillose Spieler, zu viele unbequeme Leute und schillernde Figuren die Kugeln würfen. Weder Vera noch Olaf waren bei dieser Ansprache des Vereinsvorstands dabei gewesen, fiel Dedee auf, der sich nicht zu dieser denkwürdigen Rede äußern wollte.

So war der folgende Tag nicht nur wegen des Wetters trüb und trist. Trotz alledem wollte Dedee früh auf der Herrenhäuser Allee sein, um nach weiteren Polizeimaßnahmen Ausschau zu halten und die Stimmung der Übrigen zu sondieren. Dirk selbst hatte keine Zeit, aber er empfahl ihm, Neele anzurufen, die habe ihn gestern gefragt, ab wann heute gespielt werde. Stimmt, heute ist Mittwoch, da muss sie nachmittags nicht in die Apotheke, fiel Dedee ein. Also einfach Neele List, die schöne Pharmazeutin, anrufen. Ein Tête-à-Tête mit Neele – das war lange, lange her, aber immer spannend gewesen.

Dedee war zuerst beeindruckt gewesen von ihrer kaltschnäuzigen Art zu spielen; dann immer mehr von ihrem überlegten, freundlichen Umgang mit Konfliktsituationen und schließlich von ihrem schönen Mund, der ihm alles andere als kaltschnäuzig erschien. – Doch bloß keine Affären auf der Allee, nein! – das würde ihn aufmischen! Dedee gelang es, seine unterschwelligen erotischen Neigungen für Neele zu unterschlagen und sich in ihrer Nähe umso stärker auf das Spiel mit dem harten Metall zu konzentrieren.

Ein stecknadelfeiner Nieselregen tauchte die Grünanlagen in ein trübes Licht. Ab und zu schwankten wenige von Windstößen aufgewirbelte Blätter durch den fast menschenleeren Park. Nur drei Gestalten bewegten sich mitten auf dem breiten Wegabschnitt vor der Mauer. Zwei gingen nach längeren Stehpausen voneinander weg, dann wieder aufeinander zu. Die dritte bewegte sich ebenfalls mit Unterbrechungen, aber etwa fünfundzwanzig Meter entfernt von den beiden. Die nur von Krähenkrächzen aufgeraute Stille wurde von klatschenden, klackenden, manchmal metallisch knallenden Geräuschen punktiert. Plötzlich knallte es ungewöhnlich laut, und nur noch zwei Personen standen zunächst wie geronnen auf der breiten, hellen Wegfläche. Nach vielleicht fünf Sekunden kam wieder Bewegung in das erstarrte Duo, und die beiden trabten von der Mauer weg, dorthin, wo soeben noch ein Einzelner agiert hatte.

Sie machten halt vor ihm. Er lag still auf dem feinschotterigen Abschnitt, wo eine sanft konvexe Krümmung an das feuchte Grün des Rasenstreifens stieß. Er lag auf dem Bauch, beide Arme fast gerade nach vorn gestreckt. Eine Armlänge von seinem Kopf entfernt befanden sich zwei rostbraune, matt schimmernde Stahlkugeln, und es sah für Kenner auf den ersten Blick fast so aus, als ob er eine ganz besonders genaue Abstandsmessung vornehmen wollte und dabei auch den letzten Einsatz von Körper und Kleidung nicht scheute.

Doch Olaf war einfach tot. Ein kleines Loch in seiner anthrazitfarbenen Fleecejacke, etwa in Höhe des linken Schulterblatts, gab dafür die Gewissheit und den Grund. Tot wie ein ins Aus geschossenes Ziel, und nichts mehr in der Hand, alle Kugeln gespielt.

»Er hat allein Schießen geübt«, meinte Neele, mehr verdattert als sachlich.

»Und dabei ist er abgeknallt worden, oder?«

»Gerade eben, ich fass es nicht. Wir spielen hier ein Tête-à-Tête, und Olaf wird von hinten erschossen.«

Ein welkes, feuchtbraunes Lindenblatt taumelte heran, senkte sich für einen Augenblick auf das Loch in der Jacke, flog aber gleich mit der nächsten Bö wieder hoch. »Ich renn zur Kneipe und ruf die Bullen, bleib mal hier. So ein verdammter Mist.«

Während Neele mit schwingendem Haar wegrannte, sah Dedee auf den so ganz ungewohnt ruhigen Olaf hinab. Dedee erfasste das Geschehene immer noch nicht richtig – warum, was soll das?

Etwa sieben Meter hinter Olafs Turnschuhen schimmerten wie bei einer Perlenkette aufgereiht vier billige, silbrige Kugeln. Das waren seine Zielkugeln, die hatte er versucht zu treffen bei seinem nur scheinbar ewigen Schusstraining. Er betrachtete die beiden dunkel glänzenden Kugeln direkt vor Olaf und stutzte. Da stimmte doch was nicht, wo war die dritte Schusskugel? Obwohl immer noch mit dem Begreifen des Mordes an Olaf beschäftigt, lief Dedee wie aufgezogen um Olaf herum, spähte ins Gras, schaute sich im Gelände um, das sich hinter den vier als Übungsziele aufgereihten Kugeln befand. Nichts. Ein Satz besteht aus drei Kugeln, keiner übt mit bloß zwei Kugeln Schießen, Olaf schon gar nicht!

Für den leidenschaftlichen Boule-Spieler Dedee war das ein Rätsel. Mit nur zwei Kugeln – da stimmt einfach etwas nicht. Dedee beschäftigte plötzlich nicht mehr der Mord selbst, sondern die offensichtliche Tatsache, dass da jemand – wie sollte man sagen – in Olafs Trainingsprogramm eingegriffen hatte.

Ach was, Unsinn, Dedee schüttelte den Kopf, es ist doch ganz einfach. Ohne Scheu und erkennungsdienstliche Bedenken bückte er sich und hob an der linken Seite den schweren Körper Olafs an. Unter dessen Brust schwappte leise eine Pfütze, und aus einer ausgefransten Öffnung der Fleecejacke fielen dicke Tropfen. Hastig ließ er Olafs Leib wieder zu Boden gleiten. Obgleich er plötzlich sehr blass geworden war, stemmte er ihn fast sofort wieder hoch. Unter Olaf war nichts Verborgenes auszumachen, schon gar keine Boule-Kugel, nur viel Blut. Armes Schwein, dachte Dedee, aber wo zum Teufel ist deine dritte Kugel?

Am nächsten Tag trafen sich trotz des tragischen Vorfalls doch wieder einige Bouler im Park. Ihre Themen waren das plötzliche Verscheiden Olafs, einige polizeiliche Vernehmungen und dass der Schuss von der Mauer gekommen sein musste.

»Wer war das Schwein, wer knallt einem Spieler eine Kugel in den Rücken? Wer macht bloß so was?«, fragte Neele, die sich frei genommen hatte, und strich ihre blonde Mähne aus dem Gesicht.

»Wo ist bloß Olafs dritte Kugel geblieben?«, ergänzte Dedee etwas geistesabwesend.

»Was machen wir nun damit, mit dem Tod Olafs?«, fragte Carla.

»Und wenn der Mörder noch hier ist? Was is jetzt?« bohrte Makebe nach. Franz schwieg.

Dirk, der ein Philosophiestudium absolviert hatte und manchmal rücksichtslos von seinen Lesefrüchten Gebrauch machte, entgegnete den Fragenden: »Wir spielen weiter.« Er kramte ein tiefschwarzes Schwein hervor. Er legte es in die flache Hand, warf es aber nicht aus. Unbewegten Gesichts hob er es vor seine Augen und hub folgendermaßen an:

»Ein Schwein ist da. Sein bloßes Da-Sein aber macht noch nicht das Schwein aus. Denn es ist noch aus. Es ist zwar da, aber es ist als ein noch nicht im Spiel Seiendes, kein wirklich wahres, nicht wahr? Seine mögliche Geworfenheit ist da nichtig. Erst in der erneuten Nichtung ist sein Zur-Hand-Sein durch die Tat seines Vor-Geworfen-Werdens evident und allen Da-Seienden durch seine Geworfenheit ein Tatsächliches, Vor-Handenes, und hat nun in der Spiel-Zeit seinen Seins-Grund, wo es wahres Schwein wird und endlich ist.«

Franz war eher nervöser als gedrückter Stimmung: »Na komm, ist gut mit deinem geheideggerten Existenzialismus-Schmarren. Lasst uns mal loslegen: Münze oder Schwein?« Er empfing verwunderte Blicke. »Ach so, wir müssen ja erst mal auslosen – äh, ich meine Zahl oder Vogel?« Als das geklärt war, warf Dirk das hölzerne Ziel aus, und zur Erleichterung fast aller hielten er und Franz nun den Mund. Das Spiel konnte sich erneut entwickeln.

Es hatte also keinen intensiven Ausdruck von Trauer um Olaf gegeben, nur eine gewisse Bestürzung darüber, dass so etwas überhaupt passieren konnte. Dedee wurde die seltsam kühle Atmosphäre unter den Park-Boulern so bewusst wie nie. Eine Kühle, die auch schützte, die Respekt erforderte, Distanz – so wie Dedee die Kontakte zur überwiegenden Zahl der Menschen schätzte und wie ihm diese Gesellschaft gerade noch erträglich war.

Sie waren nun mal keine »Franzosen«. Die meisten Park-Bouler wussten es und stellten auch keine »Franzosen« dar, wie es einzelne Freunde des Schmierentheatralischen versuchten und immer mal wieder erbittert von anderen verlangten.

Etwas anderes beunruhigte Dedee viel mehr: Wo mag bloß Olafs dritte Kugel geblieben sein? War sie mit Koks gefüllt gewesen und ihm nach dem Mord entwendet worden? Quatsch, dann hätte Olaf sicher nicht mit ihr Schießen trainiert. Und weder Neele noch er hatten unmittelbar nach dem Knallen jemanden in der Nähe des Parkwegs gesehen. Aber Olafs Kugel konnte sich doch nicht in Luft aufgelöst haben! Dedee kam nicht weiter.

Seine Verwirrung steigerte sich, als er durch seine morgendliche Zeitungslektüre erfuhr, dass an der Grenze im Saarland ein aufmerksamer Zöllner Kokain im Werte von mehreren zehntausend Euro entdeckt habe. Das Rauschgift sei in Boule-Kugeln verborgen gewesen, und die Spur führe von Kolumbien über Marseille irgendwie in die Region Hannover. Immer mehr Fragen türmten sich in Dedee auf.

Wer war diese Vera eigentlich gewesen, die genau bei der Entdeckung des Kellerverstecks in der Mauer nicht da gewesen war und sich auch nie wieder gemeldet hatte? Plausibel wäre es, wenn sie die Allee-Bouler als Spielerin unauffällig beobachtet und das Versteck ihrer Behörde mitgeteilt hätte. Aber hatte Vera als Neuling jemals etwas von diesem »Keller Gottfried« mitgekriegt? Vielleicht.

Und dann der Mord an Olaf. Der war doch kein Dealer gewesen und so richtige Feinde hatte er doch wohl auch nicht gehabt – oder?

Eine Szene aus einem Sommerabend erschien plötzlich vor Dedees Augen. In seinen Ohren dröhnte noch einmal Olafs Wutausbruch nach einem Turnier, bei dem Franz Olaf mehrfach laut zurechtgewiesen hatte. »Du dummes, feldwebelhaftes Arschloch!«, hatte Olaf damals Franz im Suff lautstark tituliert. Einige der wie gebannt lauschenden Turnierteilnehmer waren innerlich schlicht begeistert gewesen.

Kurz entschlossen rief Dedee seinen alten Bekannten von der Kripo an. Dedee hatte Glück, der befreundete Kriminalpolizist war da. Dedee bat, ja erflehte fast Auskunft über den Stand der Dinge: »Soweit es die Ermittlungen zulassen, versteht sich.«

»Ich kann dir nur so viel sagen, Dedee, dass da einiges auf euch zukommt. Den Artikel von der Olm hatte der mit dem Mordfall befasste Staatsanwalt empört gelesen und einige meiner Kollegen rundgemacht. Dass die da einfach noch rumbuhlen können, wo Rauschgift gebunkert und dauernd geschossen wird und so weiter! – da war er etwas ungenau informiert worden und hatte zudem die verwirrte Zeitungsglosse von Ute Olm auch noch missverstanden – Na ja, der hat richtig vom Leder gezogen:

›Also, sofort sperren das Gelände, erst mal Platzverbot für alle, aber auch alle, die da mit Geschossen um sich werfen, so lange, bis die Ermittlungen beendet sind. Und für alle dort Aufhältigen polizeiliche Vorladungen, alle vernehmen. Wo sind wir denn hier?!‹

hat der meinen Kollegen entgegengebellt. Ihr seid in der Schusslinie. Nur, damit du weißt, was hier abgeht.«

Das Gelände der Park-Bouler wurde mit weiß-rotem Flatterband abgesperrt, rund um die Uhr bewacht von mindestens einem uniformierten Beamten. Gerade auf der Allee Anwesende erhielten Vorladungen, und die Sandsteinmauer wurde erneut untersucht. Immerhin war die Befürchtung einiger, dass nun auch alle ihre Kugeln zwecks Kokskontrolle aufgesägt würden, grundlos gewesen.

Das Terrain zu wechseln, unfreiwillig, weil man dazu gezwungen worden war, das mag keiner – es sei denn, der gewohnte Boden habe ihm, wie er meint, plötzlich Unglück gebracht. So gesehen wäre Olaf natürlich für einen Wechsel des Spielfeldes gewesen, aber dafür war es nun zu spät. Olaf hatte seine letzte Partie und die dritte Kugel ja verloren und er war endgültig ausgeschieden.

Doch wo nun spielen? Abhauen, alles abwarten, ein ganz neues Gelände suchen? Nein, sagten die meisten, nachdem wenige wie die blinden Hühner an der städtischen Peripherie herumgeirrt waren, nein, wir bleiben im Georgengarten, wenigstens neben der Absperrung, wir lassen uns nicht wegjagen und uns alles kaputt machen!

Und schon bald schienen sie wieder nur die üblichen Fragen zu bewegen: Wo ist das Schwein, wo ist der Kreis, wie steht's jetzt, wieso is'n das so weich da, mit wem spiele ich eigentlich?

Auch ein eher rarer, dafür besonders trinkfreudiger Mitspieler aus der Nordstadt trudelte auf seinem klapprigen Fahrrad ein. Sein lauter Fluch durchschnitt die Spielgespräche. In seinem Gitterkorb auf dem Fahrradgepäckträger hatte er Bierflaschen direkt neben seinen bewährten rostigen Kugeln transportiert. Nach einem kleinen Sprung des Rads über einen Kantstein kurz vorm Spielort hatten sich Flaschen und Kugeln energisch getroffen und ein schäumendes Gemisch aus Eisen, Scherben und Bier veranstaltet.

Dirk kommentierte achselzuckend: »Ach, bloß ein Scherbengericht mehr; aber wir spielen, bis der Tod uns abholt.«

Bereits zehn Minuten wartete der Zivilbeamte im »El Campesino«, diesem spanischen Restaurant, nun auf Dedee, den befreundeten Taxifahrer, und lauschte notgedrungen einem lauten und sehr befremdlichen Monolog am Nebentisch:

»Weißt du, mein Partner hat noch zwei Kugeln und die Gegner haben vier. Knall einfach das Schwein weg, mach die Sau tot!, sage ich ihm. Und was macht er? Na, was macht dieser Rehstreichler, diese Flachtüte, die mir der Teufel als Tireur geschickt hat? Na, was macht dieser hochpotenzierte Feigling? Der legt. Steht da mit vollen Hosen und legt! Verstehst du, statt die fremde Kugel wegzuschießen, legt der. Legt zweimal, kommt natürlich nicht an die Sau ran, und wir haben verloren. Aus die Maus!«

Gerade als der Polizist herauszukriegen versuchte, wovon da eigentlich geredet wird, trat Dedee durch die Kneipentür, legte seine Papiere und die Geldkatze auf den Tisch und begrüßte seinen alten Bekannten aus der Universitätszeit, den es vor über zehn Jahren nach abgebrochenem Studium zur Kripo getrieben hatte.

Dedee hatte ihm hin und wieder anscheinend wichtige Informationen über seltsame Fahrgäste und Beobachtungen von Einbrüchen und anderen Straftaten geliefert. Einmal war er auch befreiend dazwischengegangen, als der Polizist in Zivil von vier bedrohlichen Steintor-Typen umzingelt gewesen war.

Als Taxifahrer war Dedee einer der vielen hier in der Landeshauptstadt hängen gebliebenen arbeits- und perspektivlosen Akademiker. Nicht nur berufsbedingt kannte er sich genauestens im lokalen Straßennetz aus, sondern verfügte zudem über weit reichende und vertiefte Ortskenntnisse. Bei seinen Touren machte er auf Verlangen präzise Angaben über die Geschichte einer Straße und die Hintergründe ihres Namens. Das war eine überreife Frucht seiner vergangenen Studien, die für die einen überflüssiges Wissen, für andere ein spannender Hintergrund war.

Dedee hatte nach dem Mord und dem kurzen Telefongespräch eindringlich um ein Treffen in dem beliebten Lokal und Bouler-Treff gebeten. Direkt nach der Begrüßung kam der Zivilbeamte gleich halblaut zur Sache:

»Olaf Kruthaas ist eindeutig zur Abschreckung von Peter Gaul erschossen worden, damit der das Kokain rausrückt. Gaul und dieser Kruthaas hatten nämlich eine Kugel aufgesägt und den kostbaren Inhalt gefunden. Die übrigen ließen sie geschlossen und Kruthaas deponierte sie abends – nach kurzer Beratung mit Gaul über das weitere Vorgehen – in eurem Mauerversteck. Gaul war nun massiv bedroht worden und hatte den Gangstern schließlich das Versteck verraten. Aber wir wussten das damals alles noch nicht und waren bloß dank unseres Schweins früher dran. So weit die Kurzfassung.«

»Langsam, langsam! Wie ist dieser Gaul überhaupt an die Kugeln geraten und warum ist Olaf da ins Spiel gekommen?«

»Nur so viel: Ein junger Mann, selbst drogenabhängig – wir haben ihn übrigens –, hat sie Gaul angeboten. Angeblich als Restposten aus einer angeblichen Geschäftsaufgabe des Eisenwarenladens ›Pégasus‹ in Aix en Provence. Gaul hat gezögert, und der Junkie hat ihm die kostbaren Kugeln auf Kommission dagelassen. Der Dealer wollte die Kugeln erst mal los sein, da er nach der Enttarnung einer Lieferung in Boule-Kugeln die Polizei auf seiner Spur wähnte. Den Spieleladen ›Ikaros‹ hielt er für eine geniale Tarnung seiner brisanten Zwischenlagerung.«

»Aber wieso wusste die Polizei von den in unserem Keller eingelagerten Kokskugeln?«

»Wir haben einen anonymen Anruf von einem, nun ja, sagen wir Ortskundigen erhalten und das Versteck geräumt. Das war großes Pech für euren Kruthaase.«

»Moment, war das eine Frau, die den Hinweis gegeben hatte?«

»Nein, das kann ich mit Sicherheit sagen, es war ein Mann.«

»Also diese Vera – ich kenne bloß ihren Vornamen – war es nicht.«

»Ich werde dir doch keine Auskunft über eine Kollegin geben. Es war wie gesagt ein Mann.«

»Immerhin gibst du zu, dass diese Vera eine Kriminalbeamtin ist.«

»Klar, warum nicht. Und warum soll die in ihrer Freizeit nicht Boule spielen?«

»Seit dem Fund der Kokskugeln spielt die aber nicht mehr.«

»Dedee, die wird ihre Gründe haben, mehr sage ich nicht dazu.«

»Gut, gut. Also, wie ging es weiter?«

»Tja, die zwei Vertreter des Drogenkartells waren äußerst böse, als sie die Kugeln in der Wohnung ihres Mittelsmannes nicht vorfanden. Als dieser nach einigen harten Argumenten verriet, dass er die Schneekugeln dem Chef vom Spieleladen »Ikaros« quasi in Kommission gegeben hatte, suchten sie diesen Peter Gaul auf. Und wieder war keine der gesuchten Kugeln da. Die beiden Herren wurden ein wenig unwirsch, kann man sich ja denken. Sie überredeten Gaul mit einigen freundlichen Worten und einer Pistole, das Versteck der gefüllten Kugeln und den Namen des eingeweihten Spielers, dieses Kruthaas, preiszugeben. Na ja, und dann musste der gute Herr Gaul diesen Spieler noch genau beschreiben. – Wie sich leider später herausstellte, ging es darum, damit man ihn sich auf der Allee ›herauspicken‹ könne. Ihm sagte man, er, der Gaul, habe sich sowieso nun als Rauschgifthändler betätigt und solle besser die Klappe halten, wenn der Fall erledigt ist. Da hatten meine Drogenkollegen aber bereits aufgrund des sachdienlichen Hinweises eines Ortskundigen euren sogenannten Keller geräumt.«

Dedee schüttelt entsetzt den Kopf und ergänzt:

»Und als die beiden Gangster den Keller öffneten, war der komplett leer. Sie fühlten sich böse verarscht, erschossen Olaf, um Peter Gaul deutlich zu machen, was ihm blüht, wenn er die Kugeln nicht rausrückt. Und das haben sie dann ja auch exemplarisch vorgeführt, mit einem Gewehr, vermutlich mit Zielfernrohr, in einem unbeobachteten Moment oben von der Trasse. – Verdammt, wenn die Kugeln da noch im Mauerversteck gelegen hätten, wäre Olaf nicht erschossen worden. So eine Scheiße. Der Verräter des Verstecks und der Kugeltransaktion hat demnach Olaf Kruthaas auf dem Gewissen. Und ich kann mir auch schon denken, wer das gewesen ist.«

»Leider wird es so gewesen sein. Die Drogenfahnder kannten da noch nicht die Hintergründe, als sie das kleine Kokslager in der Mauer aushoben. Insbesondere wussten sie nichts von der Bedrohung durch dieses Killerduo. Aber der Betreiber dieses Spieleladens war immerhin so schlau, sich am nächsten Nachmittag bei den Kollegen von der Trachtentruppe zu melden. Der hat denen alles erzählt und polizeilichen Schutz verlangt. Aber Dedee, was weißt du eigentlich?«

»Ich weiß nicht mehr, als ich von dir gehört und gesehen habe. Olaf wurde in unserer Anwesenheit ermordet und eine seiner Boule-Kugeln fehlt merkwürdigerweise. Das habe ich deinen Kollegen von der Mordkommission schon erzählt. Mehr weiß ich nicht. Was ich rauskriegen möchte, wird euch kaum interessieren. Wer hat das Versteck und das Verstecken verraten? Und wo ist Olafs dritte Kugel?«

»Selbstverständlich werde ich dir unseren Informanten nicht nennen, Dedee. Das darf ich nicht und will es auch nicht. Wer weiß, was gegen den dann noch von euch Alleespielern unternommen würde. Nun gut. Ich habe dir jetzt das erzählt, was ich vertreten kann. Nach den Mördern wird gefahndet, den Mittelsmann, der Peter Gaul diese Kugeln offeriert hat, haben wir festgenommen, und der Besitzer des »Ikaros«, eben dieser Gaul, steht unter Polizeischutz, alles Weitere wird sich finden. Aber noch mal zurück zu dir beziehungsweise zu euch – hast du wirklich alles erzählt? Ist nicht vielleicht doch einer von euch Boulern in den Rauschgiftdeal verwickelt?«

Nach einem fruchtlosen Dialog beteuerte Dedee kopfschüttelnd:

»Ihr zielt vorbei, wir sind das falsche Ziel, begreift das doch endlich.«

»Da bin ich nicht so sicher«, entgegnete kühl lächelnd der Zivilpolizist.

Dedee hatte während des Treffens in der spanischen Gaststätte sehr reichlich zugelangt: viel Zwiebelringe im Salat mit roten Bohnen, dazu ordentlich Knoblauchwurst in sich hineingestopft. Mitten in der Nacht war es ihm dann gewesen, als ob drei Sätze Kugeln in seinem Bauch rumorten, wenn er zwischendurch stöhnend aus einem Albtraum aufwachte:

Sie sind im Park von Uniformierten eingekesselt, Spieler erhalten Knüppelschläge auf die Finger, eine schattenhafte Gestalt hüpft auf der Mauer in Zeitlupe hoch, wirft dann auf alle eine Unmasse Pétanque-Kugeln, die sich in Köpfe bohren und Gehirnmasse herausquellen lassen, Weißbekittelte sägen diese Köpfe auf und holen Geldscheine, Schneebälle, Würste, Stahlbänder und Zwiebelringe heraus …

Nach dem morgendlichen Kaffee versuchte Dedee in Marlowe-Manier, trotz seines gequälten Leibes, alles zu ordnen und zusammenzufügen.

Ob Vera nun wirklich bloß Boule spielen wollte oder doch als Polizistin undercover die kugelwerfende Alleeszenerie observiert hatte, war nicht herauszubekommen. Sie war verschwunden, und er hatte weder Nachnamen noch Adresse. Sein Eindruck hatte sich auch verstärkt, dass sie in den üblen Geschehnissen der letzten Tage letztlich keine Rolle gespielt hatte. Gut.

Dann Olaf. Klar, Olaf hatte sich zum letzten Mal gedanklich überfordert. Er wollte den Skandal schlechthin aufdecken, sich damit endlich den Namen machen, der ihm seiner Meinung nach durch sein Pétanque-Spiel eigentlich schon lange zukäme. Doch das hier war unerfreulicherweise ein anderes Kaliber als sein Nachhaken wegen verschwundener Startgelder bei einem Turnier, fehlerhafter Spielsysteme bei einer Meisterschaft oder schwer verstiegen angekündigter Turniere. Für diese zurückliegenden Aktivitäten hat er einigen, nicht nur hinter vorgehaltener Hand, als Wichtigtuer und als Korinthenkacker zum eigenen Vorteil gegolten.

Nun ging es einmal nicht um Platzhirsch gegen Platzhirsch – wie zum Beispiel bei Olaf gegen Franz –, diesmal stand Olaf, um in einer etwas ahistorischen Zoologie zu bleiben, ein wütender Dinosaurier gegenüber. Es war nicht um Rechthaberei beim Boule, sondern um großes, koksiges Geld gegangen. Olaf hatte mit seinem Verhalten voll danebengelegen. Er musste seine Gegner für noch dämlicher gehalten haben, als sich Olaf selbst in seinen bitteren, stillen Stunden der Selbstprüfung wahrnahm. Das zum Opfer.

Der indirekte Täter war der Verräter gewesen. Wenn einer von den Alleespielern das Kellerversteck mit den Kugeln verraten haben konnte, dann musste es Franz gewesen sein. Irgendwie musste der Wind von Olafs Beschäftigung mit den Kokskugeln bekommen haben. Wahrscheinlich hatte Franz gehofft, dass Olaf mit den Kugeln per Fingerabdruck in Verbindung gebracht werden und dann ordentlich Ärger mit der Polizei bekommen würde. Eine unfeine, fiese Form der Rache. Dass es viel schlimmer gekommen war, lag nicht in Franz' Absicht, aber seine Denunziation war der Anfang einer üblen Kettenreaktion. Franz als Verräter wäre so gesehen ein rachsüchtiger Idiot. Ohnmacht und Größenwahn, immer das Gleiche bei solchen verbiesterten Vereinsmeiern!

Die Pétanque-Szene war beim letzten großen Turnier des Jahres in Bremen. Besonders gut lief es bis jetzt für Franz. Er war der Tireur seines Teams und traf in den ersten drei Spielen fast so wie er wollte.

Zufrieden begab er sich zum Mittagstisch. Dort nahm er, um Kontakte zu knüpfen, neben einigen süddeutschen Spielern Platz. Chronisch jovial wie er war, stellte sich Franz seinem Tischnachbarn vor und kam mit diesem freundlichen Saarländer schnell ins Plaudern.

Der hieß Heinz Mosterd und war in dieser moorumschlungenen niedersächsischen Boule-Hochburg bei einem alten Freund aus Jever zu Gast. Während des Essens gab Franz Boule-Anekdoten zum Besten. Heinz kam auch in Fahrt und erzählte beim Nachtisch, so nebenbei, dass er Zollbeamter sei und wie sich gerade in einem skurrilen Fall Beruf und Spiel kreuzten: es handele sich dabei um »verkokste Kugeln«. »Der Idiot von Koksschmuggler konnte nicht einmal ein carreau im Boule von einem gewöhnlichen Quadrat unterscheiden. Dazu fällt mir ein, dass ein Alleespieler angeblich wegen solcher Kugeln zu Tode gekommen sei. Du bist doch von der Allee, Franz, weißt du mehr?«

Franz' Gesicht bekam fast die graue Farbe neuer Ton'r-Kugeln. Er schaute hastig auf seine Uhr, murmelte, er müsse aufs WC – und stand auf. Nach dem Mittagessen traf er nichts mehr, er lochte wie eine Piercingzange, sein Team verlor alles, und zwar haushoch.

Die Wirkung war nachhaltig. Franz verschwand nach diesem Turnier von der Allee. Er kegele nun und betätige sich in der Kommunalpolitik, wolle da wohl eine Funktionärskarriere starten, war zu hören.

Dedee zählte nun für sich drei Abgänge in den letzten Tagen: erst die vermutliche Kriminalbeamtin Vera, dann der erschossene Olaf und nun sein Vorstandskollege Franz, der nur formal seinen Rücktritt »aus persönlichen Gründen« erklärt hatte.

Carla, Dedee, Dirk, Makebe und Neele saßen wieder einmal zusammen im »Da Ettore«. »Da Ettore« war eine kleine Gaststätte in der Nordstadt, die süditalienische Back- und Nudelspeisen anbot. Ettore Svevo, ein kräftiger, gerundeter Mann, der selbst keine Ahnung vom Pétanque hatte, begrüßte die sich bei ihm treffenden Allee-Bouler wie immer mit einem besonders freundlichen: »Ahh, noch mehr bocciaragazze e -ragazzi.« Kaum hatten die immer noch erregten Spieler das Lokal betreten, erwartete sie neues Ungemach.

Hinten, an zwei Tischen an der Wand, saß überraschenderweise ein unguter Bekannter, nämlich Franz. Er redete sehr engagiert auf zwei in der Boule-Szene völlig unbekannte Männer ein. Carla, Neele, Dedee, Dirk und Makebe wollten gleich wieder kehrtmachen, setzten sich aber nach kurzem Zögern an den am weitesten von Franz entfernten Tisch.

»Einfach ignorieren«, nuschelte Carla.

»Nun treibt sich dieser Hilfs-Charismatiker schon wieder in unserer Nähe herum«, stöhnte Dirk.

»Ach, den sind wir auch los, soll Franz doch Kommunalpolitiker nerven und ans Messer liefern«, murmelte Dedee.

»Eben, eben, sach isch doch. Lasst uns lieber ain heben!«, beendete Makebe das Thema.

Carla war ungewohnt verlegen, wollte aber, wie sie sagte, heute »endlich reinen Tisch machen«. Sie sei von Franz neulich, noch vor seinem letzten Turnier in Bremen, angebaggert worden, als sie ordentlich einen gebechert hatten. Franz hatte sich als unglaublich clever dargestellt und Erstaunliches von sich gegeben. Carla legte los:

»Also, Franz machte einen Spaziergang durch den düsteren und menschenleeren Park, ging dabei auch ein Stück auf einem Parallelweg der Allee entlang. Und was sah Franz durch die Linden? Na? – Eben, den heimlich Kugeln einlagernden Olaf mit einem Fremden! Franz guckt und wartet ab. Lauern, das kann er ja.

Als Olaf verschwunden war, sah sich Franz die Füllung des kleinen Mauerverlieses, des Kellers ›Gottfried‹, an. Franz war gleich klar, dass hier etwas Illegales und Gefährliches deponiert wurde, so sagte er jedenfalls. Als die beiden gegangen waren, sah er sich den Inhalt des Kellers an. Seine genaue Betrachtung einer dort liegenden aufgesägten Kugel und vor allem das Hantieren mit diesen gefüllten Kugeln bestätigten es ihm, dass hier etwas Kriminelles abgelaufen war – so Franz.«

»Und? Hat Franz noch mehr dazu gesagt?«, fragte Dirk.

»Nein, nur dass es Zeit würde, dass sich die Allee-Bouler von bestimmten Elementen trennten.«

Dedee nickte und ergänzte Carlas Erzählung: »Ja, und damit ist auch klar, wer unseren geheimen Keller verraten hat. Da kann man sich gut hineindenken. Nun habe ich ihn, wird Franz wohl triumphiert haben, diesen Olaf, dieses Arschloch, diesen ungehobelten Klotz, der mich öffentlich beleidigt, meinen Ruf beschädigt hat. Jetzt mache ich dich fertig, Olaf! Du hast in dieser persönlichen Partie lange geführt, aber mit diesen brisanten Kugeln kriege ich dich. Und dann bist du im Park erledigt, Olaf. – Franz konnte sicher damals noch nicht ahnen, wie gründlich recht er haben würde.

Am nächsten Mittag hat Franz aus einer Telefonzelle anonym der Polizei einen Tipp gegeben – das weiß ich von jemand anderem. Franz hat nur vom Platz gesprochen, wo die Bouler spielen, und dass da in der Nähe irgendwo an oder in der Mauer Rauschgift deponiert worden ist. Die Polizei sollte tatsächlich ein bisschen suchen, nicht unseren ›Keller Gottfried‹ gleich finden. Franz wollte nicht gleich den Verdacht auf einen Informanten aus der Park-Bouler-Szene lenken.

Was dann kam, wisst ihr alle. Weil die Schneekugeln dank der Polizei weg waren, wurde Olaf danach zur Abschreckung von irgendeinem Killer erschossen. Franz wollte Olaf bloß für die Parkszene als Mitspieler erledigen. Er hatte nicht bloß eine Rechnung offen, er müsse ihn fertigmachen, glaubte er. Doch genau genommen ist Franz am Tod Olafs mitschuldig.« Die anderen drei stimmten Carla zu.

Dirk ergänzte Carlas Bericht damit, dass er sich – wegen einiger drohender Bemerkungen von Franz – seinen Reim darauf gemacht habe. Daher hatte er auch bei seiner merkwürdigen pseudophilosophischen Ansprache davon geredet, dass das Schwein da ist. Franz hat direkt neben ihm gestanden.

Carla meinte, dass er das auch einfacher hätte sagen können.

Dirk winkte ab und schloss: »Der Mord und das Weitere waren nicht beabsichtigte Prozesse und Resultate – wie bei einem angeschossenen Schwein, das sonst wohin rast und großes Unheil anrichtet.«

Erst trinkend und später auch lachend gingen die vier immer wieder das kriminelle Geschehen auf der Allee durch. Es war, als ob sie sich so von einem düsteren Bann befreiten.

Nach zwei Stunden rief die offensichtlich beschwipste Carla ganz unvermittelt: »Oh, dieses verdammte Schwein! Das hat an allem Schuld!«, und in diesem Moment flog auch schon ihr leeres Grappaglas quer durch das Restaurant Richtung Franz, zu hoch allerdings.

Es klirrte. Das Bild, das über Franz' Kopf an der Wand prangte, sackte kraftlos herunter und knallte auf den Boden. Wie es da so lag, mit gesplitterter Glasscheibe, schienen alle zum ersten Mal diesen blau-rosa Mittelmeerbucht-Aquarellschinken genauer zu betrachten. Auch diese Idylle war nun hin. So wurde Carla die erste Frau, die von Ettore Lokalverbot bekam. Aber nur für einen Monat – mehr brachte er nicht übers Herz.

Nach den bedrückenden Ereignissen hatten sich alle unentwegten Allee-Bouler gefreut, dass Makebe mal wieder aufgetaucht war. Als Dedee mit seiner Pétanque-Ausrüstung aufkreuzte, stöberte Makebe gerade im Gebüsch des herbstlichen Parks umher. Offensichtlich suchte er ein gerade weggeschossenes Schweinchen unter dem mittlerweile fast völlig laubfreien Buschwerk. Plötzlich rief Makebe: »Isch hab hiea aane Kuchel!«

Halblaut, aber mit völliger Gewissheit, sagte Dedee vor sich hin: »Die dritte Kugel.« Makebe entwand sich dem mageren Geäst der Staude und hielt triumphierend einen rostigen, knubbeligen Eisenkörper in der Hand.

Eine so merkwürdig deformierte Kugel hatten die anwesenden Pétanque-Fanatiker noch nie gesehen:

Sie war eine Sphärenbreite eingedellt, und im tiefsten Punkt, da wo der feine Rost einem groben Braunton gewichen war, hatte das einst geschmiedete Instrument ein sauberes Loch.

Makebe drehte das objet trouvé in der Hand, und Dedee trat näher. Auf der gegenüberliegenden Seite war die Kugel ausgebeult, hatte einen Knubbel wie ein fetter halbreifer Pickel.

Dirk bat Makebe, ihm mal diesen eisernen Mutanten zu geben. »Passt mal auf«, sagte Dirk und schüttelte den Hohlkörper mit der Linken. Ein dumpfes Klackern klang den Umstehenden in den Ohren. »Spiel mir das Lied vom Tod!«, murmelte Dedee halblaut, als Kugel in Kugel klackerte. »Da ist tatsächlich eine Kugel in der Kugel«, konstatierte Carla. »Au fèrer geht's nicht, davon kannst du nur träumen!«, entgegnete gebrochen französelnd Dirk.

Dedee erzählte noch mal von dem fatalen Nachmittag auf dem Parkweg und was Dirk seiner Meinung nach da gerade in der Hand hielt: die erste für Olafs Körper bestimmte Kugel in dessen dritter. Ihn verfehlend, hatte das Geschoss in seiner bisher fehlenden Kugel ein Loch gemacht. Genau genommen hatte der Todesschütze ein ballistisches und boulistisches Paradoxon, ja Wunder vollbracht – mit einer Kugel zwei Löcher gemacht und dennoch aufs Eisen getroffen!

Die anwesenden Bouler und die Boulerin waren schließlich übereingekommen, Makebe, der Finder, dürfe die Kugel behalten. Der Kripo werde sie nicht übergeben und nichts weitergesagt werden. Olafs dritte konnte sowieso nichts mehr zur Aufklärung beitragen.

Dedee war nicht ganz zufrieden. Er überlegte, wo er und Neele damals Olaf gefunden hatten. Von diesem Standort aus waren es circa dreißig Meter bis zur Fundstelle. Beide Gewehrschüsse mussten von der Mauer gekommen sein, von wo der unbekannte Killer Olaf mit einem Herzschuss erwischen wollte, was er mit dem zweiten Schuss auch schaffte.

Dedee überlegte. Olaf war Linkshänder gewesen, genau, und dazu der Kugelfund, eben, das erklärte die Ausgangssituation, dass was vor dem Todesschuss passiert sein musste. Jaja, klar, Olafs technisch bedenkliche und lochträchtige längsachsige Körperdrehung in der Endphase der Schießbewegung, das kam noch dazu, das war's. Der erste Gewehrschuss muss genau in dem Moment abgefeuert worden sein, als Olafs Kugel seine Hand verließ und seine linke Schulter mal wieder zu energisch nach vorn drehte. Olafs technischer Mangel hatte ihn erst einmal glücklich gerettet. Doch höchstens für Sekunden. Der Mörder verfehlte also sein anvisiertes Ziel, traf die abfliegende Boule-Kugel zentral, lochte sie ein; das Projektil hatte nicht mehr die Energie, die hintere Kugelwand zu durchschlagen, sondern beschleunigte, platt geworden, die ausgebeulte Hohlkugel seitlich und beförderte sie deswegen zwischen abgelegenes, laubbedecktes Staudenwurzelwerk. Dort blieb dann die gelochte Kugel mit ihrer »inneren Kugel« liegen.

Aber – und nun bekam seine prächtige Rekonstruktion ein Loch – warum konnte er sich nur an einen einzigen lauten Knall erinnern? Dedee musste unbedingt Neele danach fragen. Es war ein prima Grund, sich wieder mit Neele zu treffen.

Schweigend gingen Neele und Dedee durch den herbstlichen Park. Obwohl durch ihre Nähe prickelnd erwärmt, knabberte er immer wieder am Problem des unbemerkten zweiten Knalls am Mordtag herum. Neele formulierte bündig ihre Lösung:

»Es kann durchaus ein Doppelknall gewesen sein, den wir damals gehört haben. Ganz einfach: der vom Knall vom carreau fiel mit dem Knall vom Gewehr zusammen. Wahrscheinlich haben die einen Schalldämpfer benutzt, das soll bei Profikillern ja so üblich sein.«

Dedee wackelte nachdenklich bis zustimmend mit dem Kopf:

»Apropos Doppelknall: Weißt du, Pétanque war und ist ein schönes Spiel. Aber wie das so ist mit Schönem, irgendwann fällt es in die Hände von Idioten. Und das ist nun gerade hier im Georgengarten passiert.«

Doch Neele blieb hartnäckig beim Thema:

»Das mit dem einen Knall, obwohl der Killer zweimal auf Olaf geschossen hatte, war ganz einfach. Ich habe noch mal versucht, mich ganz genau zu erinnern: Sein erster Knall aus dem Gewehr kam genau mit meinem carreau sur place auf zehn Meter zusammen. Weißt du noch? Du standest paralysiert daneben, ich war natürlich entzückt. Der Schuss war so riesig, dass wir nur für ihn ganz Auge und Ohr waren. Und so bekamen wir erst den zweiten, den tödlichen Gewehrschuss des Killers richtig mit.«

Dedee zuckte resignierend mit den Schultern: »Manchmal bemerke ich vielleicht das Wichtigste nicht.«

Was war denn nun wirklich passiert mit den Park-Boulern in den letzten Wochen? Sie waren weniger geworden. Es war ein unabsehbar zerstörerischer Prozess gewesen, ausgelöst durch Superschlauheit und Rachsucht.

Ohne Berührung schritt Dedee neben Neele durch die Dunkelheit. Er schien verloren in seine Gedanken und seinen Entschluss: Mit den Pétanque-Turnieren, dem Punktemachen, dem Vornemithalten, war für ihn nun Schluss. Diesen realen inneren Krimi musste er auch beenden. Schon lange wollte er das, war dreimal kurz davor gewesen, um sich doch nur wieder in die Kugelsucht hineinzustürzen oder sich in sie hineinziehen zu lassen. Es war auch – bis auf den Fall Olaf – alles nicht mehr so schlimm und stressig gewesen in der letzten Zeit, er kannte das, es gehörte halt dazu. Dedee war eben nicht glatt und er erwartete das auch nicht von seinem Leben.

Immer noch stumm und gedankenverloren schritt er neben Neele durch die kalte Herbstnacht. Besonders schamvoll bis hochpeinlich stand ihm gerade jetzt seine Flucht vor Gegenwart und Zukunft vor Augen, sein immerwährendes Weglaufen zu den klatschenden Stahlkugeln.

Aus einem plötzlichen Impuls heraus erzählte er Neele vom Verlust Katharinas und seiner Selbststilisierung zum Quasi-Franzosen. Sie nickte nur gelassen: »Man weiß ja von Daniil Charms, dass sich Menschen in Kugeln auflösen können. Besonders oft passiert das unglücklichen Frauenliebhabern!« Dann lachte sie, schubste ihn sacht und schlug vor: »Der Schnurrbart kommt ab, die Baskenmütze, na ja, die darf bleiben, hin und wieder mal Pétanque, das auch.«

Als sie nebeneinander gehend an den Rand des Georgengartens gelangten, dort wo die überdimensionale rostige Stahlkugel wie ein Denkmal dräute, sagte Neele: »Bleib mal stehen, du Kugelmensch!« Dedee tat es, stellte sich direkt vor Neele und sah erwartungsvoll in ihr Gesicht. Neele legte ihren linken Arm um seine Hüfte und küsste ihn sanft.

fin de partie

Glossar

ATX ist die teuerste Kugel der Firma OBUT. Der Satz Kugeln wird gewöhnlich mit einer gewünschten Namensgravur geliefert, der Eigentümer kann aber auch einen rätselhaften Schriftzug wie »Rojita« oder »Kappes« eingravieren lassen.

Aufnahme ist der Abschnitt eines Spiels, in dem beide Mannschaften alle Kugeln gespielt haben, also alle zwölf. Nach Ende der Aufnahme hat eine Mannschaft meistens 1 bis maximal 6 Punkte gemacht.

Au fère ist der Schuss direkt auf die gegnerische Kugel, eben aufs Eisen, und trifft sie im gelungenen Fall ohne vorherige Bodenberührung.

Boule ist einfach das französische Wort für Kugel, aber auch für Spiele mit Kugeln – es gibt also verschiedene Kugelspiele. Boule oder Pétanque, von dem in der Kriminalgeschichte gesprochen wird, hat mit Abstand in und außerhalb Frankreichs die meisten Anhänger.

Boule/Pétanque wird gewöhnlich in Deutschland synonym gebraucht. Pétanque ist, genau genommen, das Boule-Spiel, bei dem aus dem Stand in einem Kreis stehend die Kugeln gespielt, also geworfen oder gerollt werden, um diese Kugeln letztlich näher an der Zielkugel (Schwein) liegen zu haben als der Gegner.
Wenn aber Spielerinnen oder Spieler darauf bestehen, Pétanque und nichts anderes zu spielen, so wollen sie damit ausdrücken, dass sie Boule wettkampfmäßig, ambitioniert und schon gar nicht anfängerhaft betreiben.

Boule truquée oder boule farcie ist eine manipulierte Kugel, meist durch Füllungen, damit sie besser zu legen ist, bzw. liegen bleibt; solche Kugeln dürfen im Verdachtsfall aufgesägt werden. Wo viele Turniere gespielt werden, soll man deshalb auch oft Kugelhälften mit Quecksilberresten finden – so sagt die Legende.

Carreau ist ein Volltreffer, bei dem die Schusskugel in etwa die Lage der weggeschossenen Kugel einnimmt. Das gleiche französische Wort heißt »außerfachsprachlich« einfach Viereck, Kachel, Karo (oder medizinisch: Unterleibsschwindsucht!) und wird gern damit verwechselt, wenn man von Boule/Pétanque keine Ahnung hat.

Doublette (2:2) ist das Spiel zwei gegen zwei, jeder Spieler mit drei Kugeln, das Team also mit sechs. Meistens nimmt in jedem Team einer die Rolle des Tireurs (Schießers) und einer die Rolle des pointeurs (Legers) ein.

Fanny ist ein Spiel, das 0:13 ausgeht, also Entzücken und Entsetzen extrem auf die Gegner verteilt. Es ist unter Boulern auch die Rede von einer mythologischen älteren Dame »Fanny«, der das unterlegene Team nach selbigem Fanny den nackten Po küssen müsse.

Freizeit- oder Campingkugeln werden von Supermarktketten, schwedischen Möbelhäusern und als Gewinnprämien vertrieben. Sie glänzen im Vergleich zu Wettkampfkugeln schön silbrig, haben oft ein eigensinniges Rollverhalten und sind bei Turnieren nicht zugelassen.

Geschrappe, Schrappen, raclettieren, raffeln bezeichnet das Flachschießen mit viel Bodenkontakt und wird von »echten« Schießern, die natürlich die gegnerische Kugel von oben treffen (wollen!), mit Naserümpfen beobachtet. Der Vorteil des Flachschießens liegt in seiner relativ einfachen Technik, nachteilig sind die Tücken der Bodenbeschaffenheit und im Weg liegende Kugeln, da der Schrapper quasi nur zwei Dimensionen kennt, der im Bogen von oben aufs Eisen Schießende aber auch die Möglichkeiten der dritten Dimension nutzt.

JB ist eine Kugelmarke, ebenso wie Rofritsch, La Boule Noire, Intégrale, Ton'r (besonders weich!) oder BUCARO.

Legen, pointer ist der Versuch des Spielers, seine Kugel möglichst nahe an und vor die Zielkugel zu platzieren. Manchmal geht es aber auch nur darum, eine Kugel dem Gegner in den Weg zu legen.

Lochen heißt, die anvisierte Kugel nicht zu treffen, also man beim Schießen bloß ein »Loch«, eine Delle in den Boden macht.

Marseillaise ist nicht bloß seit der in Frankreich erfolgreichen Revolution die Nationalhymne, sondern auch das größte Pétanque-Massenturnier in Marseille mit mehreren tausend Teilnehmenden.

Objet trouvé ist ein Begriff aus der bildenden Kunst, nicht aus dem Boule-Spiel. Im Surrealismus und bei den Dadaisten bezeichnet er ein zufällig aufgesammeltes, triviales Ding, mit denen die Künstler Collagen und Assemblagen kombinierten – ähnlich arbeiten übrigens manche Krimiautoren.

Pétanque/Boule siehe »Boule/Pétanque«

Pointeur/Leger ist derjenige Spieler in einem Doublette oder Triplette, der die erste Kugel des Teams in einer Aufnahme legt und gewöhnlich diese Tätigkeit in einem Spiel auch beibehält. Aber natürlich darf er auch schießen, wenn seine Partner das für richtig halten.

Punkte können pro Aufnahme (bei Teams 2:2 oder 3:3) maximal sechs sein. Das Team, das zuerst 13 Punkte erreicht, hat gewonnen. Jede Kugel, die am Schluss der Aufnahme näher zur Zielkugel liegt als die beste des gegnerischen Teams, macht einen Punkt. Das Team, das gepunktet hat, wirft das Schwein für die nächste Aufnahme aus.

Satz. Bei Wettkampfkugeln – üblich bei allen, die schon einige Boule-Erfahrungen gemacht haben – sind es grundsätzlich drei Kugeln, mit gleichem Gewicht, gleichem Durchmesser, gleicher Oberfläche, gleicher Firmen- und Typenbezeichnung, gleicher Nummer (die hat nur dieser eine Kugelsatz auf der ganzen Welt!) und sonstigen gleichen Gravuren bei gleicher Oberfläche. Nach einiger Praxis werden im Spiel Kugeln auf den ersten Blick ihren Besitzern zugeordnet.

Sau tot bezeichnet hier kein Jagdhornsignal, sondern bloß die Tatsache, dass die Zielkugel aus dem definierten Spielfeld verschwunden ist, also die Aufnahme neu gestartet werden muss.

Schießen, tirer ist der Wurf, mit dem eine störende gegnerische Kugel entfernt werden soll; das geschieht entweder mit einem scharfen Flachschuss oder bei besserer Technik von oben mit einem Bogenschuss.

Schwein, Schweinchen, auch Cochonet, Cornichon, Sau, Gürkchen ist die kleine Zielkugel, im Idealfall aus gedrechseltem Buchsbaumholz, heute auch schon mal aus Kunststoff, sogar mit Noppen. Wegen besserer Sichtbarkeit ist es meistens farbig.

Spielgewinn und Spielende sind erreicht, wenn ein Team 13 Punkte erreicht hat.

Supermêlée (SM) ist eine Turnierform, in der nach jeder Spielrunde die Teams, meistens nach einem Zufallsprinzip, neu formiert werden.

Tête-à-Tête (1:1) ist das mittlerweile im Wettkampfbereich selten gewordene Spiel eine(r) gegen eine(n), bei dem jeder nur mit einem Satz Kugeln spielt. Ein solches tête a tête kann ausgesprochen ungemütlich und unerotisch sein.

Tireur/Schießer ist in einem Team derjenige, der bei Bedarf zuerst mit seinen Kugeln versucht, die gegnerischen wegzuschießen. Tireure, die lieber gut legen als viel schießen, gelten bei manchen als feige.

Triplette (3:3) ist das Spiel drei gegen drei, jeder Spieler hat zwei Kugeln, jedes Team also sechs. Meistens nimmt in jedem Team einer die Rolle des tireurs (Schießers), einer die Rolle des milieus (Mittelspielers) und einer des pointeurs (Legers) ein.

Wettkampfkugel »Wie kann man die denn unterscheiden?«, wird immer wieder von unerfahrenen Beobachtern des Boule gefragt, besonders dann, wenn mit glatten Kugeln gespielt wird. Das Unterscheiden ist aber leicht. Genaues siehe unter »Satz«.

Zielkugel siehe »Schwein«.

Linden auf Baltrum

»Nachts wird der Seminarleiter umgebracht.« Sorgfältig, aber ohne Eleganz, schrieb Andreas Linden diesen Satz in sein schwarzes Notizbuch.

Das ist es, so fange ich an, und dann sehe ich weiter. Er klappte sein Büchlein zu und legte es auf den Nachttisch. Aber jetzt erst mal raus hier.

»Dünenburg« heißt dieser fantasielose Baltrumer Klinkerklumpen. Auf Sand gebaut ist dieses Hotel garantiert, aber ob da mal Gras drüber wächst? Egal, raus jetzt. In zwei Stunden ist es dunkel, bis dahin habe ich locker die halbe Insel gepackt. Erst über den Strand, dann zum Osterhook, am grünen Ost- und Westheller vorbei in den Ort zurück. Läppische 10 Kilometer, ein Klacks. Immerhin scheinen Strand und bewachsenes insulares Innenland recht anmutig zu sein, vom Ort und seinen Lokalitäten kann man das wirklich nicht behaupten. Die sind spannend wie ein Waschmaschinen-Programm, völlig austauschbar mit den Siedlungen anderer ostfriesischer Inseln.

Andreas Linden beendete seinen gedanklichen Rundschlag und konzentrierte sich auf die körperlichen Erfordernisse. Das hieß, sich kurz noch mal lockern und die Wirbelsäule recken. Sichernd lugte er in den düsteren Hotelflur und nach oben in das Zwielicht des gewundenen Treppenaufgangs. Nichts zu sehen, nichts zu hören. Er fasste mit gestreckten Armen die rückwärtige Seite einer der Steinstufen und ließ seinen Körper sanft pendelnd aushängen. Früher hatte er bei solcher Gelegenheit noch eine Serie Klimmzüge bis zum Gehtnichtmehr eingebaut. Er musste aber immer wieder bemerken und sich eingestehen, dass diese Art männlicher Selbstagitation ihn nicht entspannte, sondern bis in den Nacken schmerzte und verkrampfte. Kalte Exzesse waren nicht sein Ding.

Eine späte Einsicht, zu spät für sein Gesicht. »I am a rockisland«, summte er vor sich hin. Sein Gesicht war nicht nur von körperlichen Anstrengungen gezeichnet. Andreas wusste, dass er chronisch aufmüpfig und manchmal ein Streithammel war. Nicht selten drohte er durch seinen Gesichtsausdruck an, dass er auf Krawall gebürstet war. Dabei war ihm tiefer, andauernder Hass völlig fremd. Aber sein Gesicht mit der tiefen Kerbe zwischen den Augen machte ihn für harmonisierende, ausgleichende Gruppenfunktionen untauglich, es polarisierte Anwesende auf Anhieb, eine Last, unwandelbar und endgültig. Eine alte Freundin zitierte einmal apodiktisch: »Jeder hat das Gesicht, das er verdient!« Andreas fügte sich diesem Diktum nicht gern, aber unsentimental.

Er hatte Glück, der Seminarteilnehmer, mit dem er das Zimmer teilen sollte, war kurzfristig abgesprungen. Zu seiner großen Befriedigung konnte Andreas allein im Hoteldoppelbett schlafen. Das Seminar im Rahmen eines Bildungsurlaubs hieß übrigens »Innovativ Arbeiten – innovativ Leben«. Ein Titel, dem Andreas ebenso wenig traute wie seiner Geduld.

Aber schließlich war er nicht wegen irgendwelcher Innovationen auf diese Insel gekommen. Er wollte raus aus Hannover, und er war gern am Meer.

Im Kreise seiner Freundinnen und Freunde hatte es zu viele Rückzüge, Umzüge, Verluste gegeben und Ellen war weg. Ellen – war gestern, beschied er sich bei Reiseantritt. Keine Liebste, seine Wohnung kein entspannender Fluchtpunkt, keiner wild auf seine Arbeitskraft. Andreas war so was von frei. Weg! Auf nach Baltrum!

Auf eine Insel, die er noch nicht kannte. Auf eine, an der noch keine Erinnerungen klebten. Diese verdammten sentimentalen Schübe, die ihn niederwalzten, wenn er zu ehemals genossenen Orten zurückkehrte: Mehr dunkle Emotion als genaue Erinnerung oder gestaltete Geschichte. Mit den meisten ostfriesischen Inseln und allen deutschen Ostseeinseln verhielt es sich so. Deswegen eine, die er noch nie betreten hatte: Baltrum. Nichts schien ihm vom Ort und seinem plattdeutschen Namen her passender zu sein als dieser mittelgroße grün-gelbe Landklecks vor Ostfrieslands raugrauer Küste. Obwohl, er auf Baltrum – also Linden auf Baltrum –, das hörte sich schon seltsam an. Andererseits gab es List auf Sylt. Und es gab ja auch eine Namensparallele, einen hannoverschen Kommunalpolitiker, der tatsächlich Luk List hieß. Aber ob der jemals auf Sylt gewesen war? – Was jedenfalls Geld und Geltung betraf, so passten die beiden Namen der hannoverschen Stadtteile gut zu den sehr verschiedenen Inseln. Aber mit seinem Nachnamen (das Wort Familienname vermied Andreas Linden nach Möglichkeit) gab es sowieso eine lokalbezogene Grundpeinlichkeit: Er wohnte nämlich in Linden. Dieser ihm per Vater angeklebte Nachname ließ ihn für andere als die Inkarnation von Lokalpatriotismus erscheinen. Leute, die diese Gleichheit von Stadtteil und Nachnamen bei ihm »super« fanden, mochte Andreas auf Anhieb nicht. Patrioten aller Art waren ihm ebenso suspekt geworden wie eifrige Parteigänger.

Verblüfft hatte er sich erst kürzlich eingestehen müssen, dass ihm die meisten Leute, mit denen er seit den Siebzigern und bis in die Neunziger zu tun gehabt hatte, reichlich unsympathisch gewesen waren. Dass sie damals keine Revolution oder gar Machtergreifung hingekriegt hatten, dass seine damaligen Genossinnen, Genossen und er selbst keine Regierungsgewalt ausübten, darüber war er schon lange sehr froh.

Was bedeuten da schon Entwicklungen, die einen damaligen Revolutionär und Al-Fatah-Freund zum Redenschreiber eines Bundeskanzlers gemacht haben, die einen anderen Studentenfunktionär zum Ministerialrat aufsteigen ließen. Letztlich sind sie gemäß Neigung und Talent weit nach oben gekommen, der Weg ist so gesehen schnurzegal.

Es kommt darauf an, sich zum richtigen Zeitpunkt vom Acker zu machen, hielt Andreas seine erprobte Devise allen ihm bekannten Konsequentis entgegen. Fast immer, wenn er diesen Leitsatz nicht beherzigt und befolgt hatte, ging das dann Folgende folgenreich schief. »Der Weg ist das Ziel« – diese zeitgenössische Dauerphrase eines Kitschbuddhismus, die aus allen Kanälen, Lettern und Schnäbeln quoll, brachte ihn immer wieder in Rage. »Der Weg ist das Ziel« – lächerlich! Weg zu sein war sein Ziel. Einfach weit weg für eine geraume Weile. Weg zu sein bedarf es wenig, und wer weg ist leidet wenig!

Der Weg nach Baltrum war so umständlich und zeitraubend, dass seine Flugreise nach Korfu vergleichsweise eine Kleinigkeit gewesen wäre und überdies kaum teurer. Als er im Regionalexpress durch das gelungen grüne Flachland rauschte, der niedrigen Insel im plattdeutschen Meer entgegen, hatte er, um mit ihr abzuschließen, noch einmal intensiv an Ellen gedacht. Das letzte Gespräch in Hannover, nachmittags im Café am Mittellandkanal – »El último café«:

»Jener letzte Kaffee,
den deine kalten Lippen
mit seufzender Stimme
damals bestellten.

Ich denke an deine Verachtung,
beschwöre dich sinnlos,
höre dich, ohne dass du da bist.
Unser Verhältnis ist beendet,
sagtest du zu einem Abschied
aus Zucker und Galle.«

Obwohl chronischer Nichttänzer, kamen ihm Tangolieder in den Sinn. Maldito Tango – verfluchter Tango!

Konzentriert hatte er sich im Zugabteil Ellen ganz leiblich vorgestellt, dann, nach etwa einer halben Stunde, entschlossen ein Buch aufgeklappt, in dem er sich sogleich lesend verlor. Was Frauen und ganz besonders diese anging, wollte er nicht andauernd bei Allen Jones und Mel Ramos landen. Nichts gegen die beiden, aber wie Honig wollte er nicht an weiblicher Schönheit kleben. Es hatte lange gedauert, fast 40 Jahre, bis er begriff, dass er sich nicht zu viele, sondern die falschen Gedanken machte. Besser noch: nicht falsche, sondern ungeeignete Gedanken für das, was er wollte. – Wenn er das bloß immer wüsste!

Vergiss also die ungenießbaren Genossinnen, vergiss die Ellen-Relikte in dir, auf zum Bildungsurlaub nach Baltrum!, hatte er sich gesagt. Baltrum – mehr Kontrast zu Hannover, mehr Flucht aus ihrem ganzen vertrackten Ensemble ist kaum möglich.

Seine Gedanken glitten zurück in seine nähere, selbst gewählte Gruppengegenwart als Bildungsurlauber auf Baltrum. Der Seminarleiter, Hartmut Schwartenberg, gab sich schnell als Routinier zu erkennen, der die Materie beherrschte und genau wusste, was seine Seminargruppe mitkriegen sollte. Er machte ganz nebenbei deutlich, dass sein Konzept für diese fünf Tage Bildungsurlaub ein sehr festes Konstrukt war. Seine Erklärung »Natürlich werden die Wünsche und Themenschwerpunkte von euch berücksichtigt« war dagegen lediglich eine Pflichtübung und so hohl wie eine Seegurke.

Man war schnell übereingekommen, sich zu duzen, es sollte locker zugehen. Andreas kannte das alles und wusste gleich, dass dieser Hartmut – groß, kräftig, redegewandt – bei Differenzen innerhalb der Gruppe ein ebenso hartmütiger wie geschickter Gegner sein würde. Hartmut und er würden Krach bekommen. Und sie kriegten ihren Krach nach nur eineinhalb Tagen.

Andreas mochte scheindemokratisches Getue nicht, und in sinnloser Bravheit vergeudete Zeit machte ihn aggressiv. Nie wieder Kaffeetrinken bei Onkel und Tante mit Ruhigsitzen und Bravsein! Endlich erwachsen zu sein hieß für ihn: Nimmermehr pflichtgetreu Zeit für irgendeine Familie totschlagen, egal, in welcher Form und mit welchem Personal sie ihn auch umgibt! Mal abwarten, wie es denn mit diesem Seminar noch so wird. Mit diesem Schwartenberg jedenfalls würde er schon fertig werden, da hatte er in seinen diversen Ausbildungen ganz andere gekannt. Was hatte er schon zu verlieren? Andreas genoss das Gefühl einer gewissen Unangreifbarkeit.

Gleichzeitig wusste er, dass diese Euphorie noch nie seinen eigenen Erfahrungen und Gedanken hatte standhalten können. Nur minutenlang war er manchmal für sich selbst ein toller Hecht.

Egal, was geschehen würde, die übrigen Bildungsurlauber würden geschmeidig bleiben, nur der Grad ihrer Stromlinienförmigkeit würde variieren, wenn man im kahlen Konferenzzimmer des Hotels zusammenhockte. Andreas ging seine ihn umgebenden Bildungshungrigen einmal durch:

Da ist dieses symbiotische Paar Ake und Steffi, die enthusiastisch erzählten, dass sie sich von einem Tanz-Workshop in Umbrien her kennen. Dann gibt es einen anthroposophischen, zuckerkranken Bänker Ingo, der Boule spielt und sich öfter eine Insulinspritze setzt. Karin ist die ansehnliche Abteilungsleiterin. Immer betont freundlich, aufmerksam, aber alles Persönliche und Heikle verbal umschiffend. Der gesprächige Ulf, Pressereferent einer Partei, hat kurz vor dem Bildungsurlaub ein Cembalo gekauft und plaudert bei jeder Gelegenheit stolz bis ergriffen von seinen tastenden Annäherungen an diesen barocken saitenzupfenden Kasten. Seine grazile Freundin Bärbel lauscht gewöhnlich träge den Erzählungen ihres Ulfs.

Andreas musste an die von ihm verehrte Katja Kiebitz denken, die Cembaloklängen abhold war und jedweden geblasenen Kamm diesem »Zirpkasten« und dessen »verhühnerten Tönen« vorzog. Und dann gibt es noch Erika, vollschlank, dynamisch, ein weiblicher Hansdampf und mit einem reichen Fundus von Bildungsurlaubserfahrungen ausgestattet. Auf Baltrum allerdings hatte sie bisher nur Erholungsurlaub gemacht.

Als die Passagiere die Fähre verließen, war diese Kennerin insularer Verhältnisse gleich auf einen offensichtlich guten Bekannten gestoßen, der einen Bollerwagen mit Gepäckstücken belud. Auf seinen Gruß und die freundliche Frage, was sie so treibe, rief Erika ihm zu: »Ich mache hier Bildungsurlaub.« Der bärtige Insulaner fing laut an zu lachen, stellte eine schwere Reisetasche ab und krächzte: »Bildungsurlaub, ja das iss man gut. Erika macht Bildungsurlaub. Bildungsurlaub, wie?« Während der Bärtige weiterhin vor sich hin gluckste, scherte Erika aus und umarmte ihn rückenreibend. Andreas' erster, quasi ethnologischer Eindruck von diesem spontanen Baltrumer Lachkrampf grub sich tief ein: Bildungsurlaub gleich absurde Lächerlichkeit.

Bliebe noch Klaas Bruns, der Chef der »Dünenburg«. Er ist groß, schlank, kräftig. Prototyp eines Familienoberhaupts, stramm konservativ wie die überwältigende Mehrheit hier. Klarheit über die Gesinnung des Hoteliers schienen das Interieur und besonders eine Kleinigkeit darin zu schaffen:

In einer Vitrine war der übliche Küstenkrempel arrangiert: obligates Buddelschiff, Strandgut, Anker, Muschelschalen, Seestern; im Hintergrund ein ölgemalter bärtiger Seebär mit Pfeife im Mundwinkel. Komplettiert wurden diese Heimatpseudismen durch einen quergestreiften Miniaturleuchtturm und einen ihn flankierenden Silberbecher. Unterm eingravierten Emblem – ein Narwal vor einer Seemine – stand die Bezeichnung einer Bundeswehr-Einheit und: »Dem Leutnant zur See Klaas Bruns zur Erinnerung – Seine Offiziers-Kameraden«. Andreas kannte Ähnliches von seiner Zeit in einer Artillerie-Batterie, als man namens des Unteroffizierkorps ihm, dem bei Gleichrangigen unbeliebten Fahnenjunker, einen Zinnbecher mit Gravur zum Abschied mehr zugesteckt als verliehen hatte. Aber dieser Becher hinter Glas kam von einer ganz anderen Waffengattung. Senkrechte Schiffsmine mit querliegendem Sägefisch – klar, das sind Kampfschwimmer, ganz harte Brocken. Klaas Bruns war einmal zum hochqualifizierten Einzelkämpfer trainiert worden. Ausgebildet als Schwimmer, Taucher, Sprengstoffexperte und geübt im tödlichen Kampf Mann gegen Mann, mit und ohne Waffen. Klaas Bruns kannte sicher alle Schweinereien, mit denen man jemanden fertigmachen kann.

Andreas überlegte, wieso er sich selbst eine deutlich andere Gesinnung als dem Hotelchef zusprach, obwohl er doch auch einmal zwei Jahre freiwillig Soldat gewesen war und dabei einiges kennengelernt und plattgemacht hatte. Er, Andreas, hat eben seitdem anders gelebt als dieser Klaas Bruns, und das macht einfach den Unterschied, beschied er sich.

Andreas, den alles Militärische ebenso sehr interessierte, wie er praktisch damit nichts mehr zu tun haben wollte, hatte den eingravierten Text widerstrebend, aber aufmerksam gelesen. »Dem Leutnant zur See Klaas Bruns zur Erinnerung – Seine Offiziers-Kameraden«.

Gedankenverloren ging Andreas durch den Windfang der »Dünenburg« nach draußen, schüttelte den Kopf über sich und beschloss, sich mehr auf seinen Inselspaziergang zu konzentrieren als auf seine reale Biografie oder gar die fiktionale des Hotelwirts. Zügig, nach links und rechts blickend, bewegte er sich an den monotonen Wohnklötzen vorbei auf den Deich zu. Diese Behausungen passten ebenso zu Klaas Bruns wie zu den meisten Gästen, dachte er: Hochgeklappte, überdimensionierte Reihenhausgräber aus kernigem Backstein in protestantischer Schmucklosigkeit und ohne jegliche Transzendenz zum Besseren. Als er gerade diesen Einfall präzisieren wollte, unterbrach ihn eine Erscheinung. Ein ausgewachsener Fasanenhahn in der Pracht seiner aufgefächerten Federn stolzierte mit seiner ihm ergebenen, schlichten Fasanenhenne mitten auf der Asphaltstraße. – Wie ein fetter Modepapst, der promenierend mit Claudia Schiffer protzt. Andreas musste kichern ob des blöden und grundfalschen Vergleichs, der ihm dennoch gefiel.

Ihm kam das letzte große Sommerunwetter wieder in den Sinn. Plötzlich war vor ihm ein Dixi-Klo aufgetaucht, es stand, stand tatsächlich mitten auf der wasserüberspülten Straße!, und er hatte, schlingernd, diesen Fäkaltempel gerade noch umkurven können. Wie kam er bloß zu solchen Vergleichen und Erinnerungen? Bloß schnell an den Strand, in den salzigen Wind und dann halb um die Insel, bis der Kopf wieder klar ist!

Andreas war nun in Höhe der Deichkrone angelangt, durchquerte den kurzen Hohlweg und erreichte in zügigem Tempo den breiten Strand. Es war Ebbe. Vor ihm dehnte sich endlos nach Norden das in der Abendsonne pointilistisch funkelnde Watt. Es verwunderte und entzückte ihn immer wieder, auf dem Meeresboden herumkurven zu können, als ob es nix wäre!

Erregt lief er ein Stück in die von Prielen durchfurchte Fläche hinein, durchquerte bräunliche waschbrettrubbelige Sandflächen, die übergingen in grauen bis bläulich schwarzen, fettig schimmernden Schlickboden mit zuweilen in der Sonne oszillierenden Silberschuppen. Er genoss das trockene Flappen seiner dicksohligen Turnschuhe und vermied es, dahin zu stapfen, wo sie schmatzende Geräusche hervorrufen würden.

Unter ihm war der Sand in seinen verschiedenen Körnungen, voll von Einzellern, Würmern, Muscheln, Schnecken,

Krebsen, Fischen, toten und halbtoten Quallen, abgerissenem Seetang, Holzfragmenten, Plastiktauen und borkigen Ölklumpen. In einem weiten Bogen ging er in südöstlicher Richtung zum Strand zurück und genoss endlich Baltrum. Auch schien heute zum zweiten Mal die Sonne. Am Nachmittag hatte es dieses rare Ereignis bereits gegeben, als er in einem Café diesen interessanten Einbeinigen kennengelernt hatte.

Er hatte sich von den anderen Bildungsurlaubern abgesetzt und das »Café Wogenprall« aufgesucht. Es war viel besser als sein Name. In ein sanftes Dünental gebaut und mit gläsernen Seitenwänden ausgestattet, konnte Andreas dort windgeschützt die weiche Luft einschlürfen und das Meer sehen. Klar, freundlich und warm umfing ihn der September an diesem Platz, wo keine fetzigen Juvenilen ramenterten. Ruhe sickerte durch seine Poren. Er bekam Appetit auf Bockwürstchen und bestellte sie samt eines Kaffees bei einer sehr freundlichen Kellnerin.

Zehn Minuten später stand der Imbiss vor ihm. Die beiden ihrer Folie entkleideten Würstchen hätte ich genauso in einem Café im Mittelgebirge oder in meiner heimischen Provinzmetropole ausgehändigt bekommen, dachte Andreas wenig überrascht. Doch der Kaffee im Becher war schwarz und duftete, die Würstchen hatten Aroma, und der Senf war rattenscharf. Andreas ließ seinen Blick behaglich ins fast leere Café schweifen. Der Raum mit Tischreihe am Fenster war eine bemerkenswerte Stilmixtur aus dreißig Jahren möbelgewordenen Schreckens. Die Kellnerin, unruhig und rund wie ein schabbelndes Seezeichen, wuselte darin geschäftig hin und her, obwohl niemand die Bestuhlung mit seinem Hintern besaß.

Die ersten Schatten glitten über die Sonne, Wolkenschichten bauten sich malerisch auf: Schlammgrau lauerten im Norden Hase, Ratte, Igel über einem Sahnehaufen, der grundlos oberhalb der Kimm thronte. Aber flugs verzogen sich rückwärtsgleitend die drei Wolkenfiguren gen Osten. Hase wurde ein Fabeldrachengeschlängel, Ratte eilte auf Hinterfüßen, Igel entpuppte sich als geschorener Pudelkopf. Zu fadendünnen Wolken geworden entzogen sich die fluffigen Tierchen. Nordwestlich entstand schnell ein schwarzschaumiger Riesenrochen in Schräglage wie ein kurvender Jet.

Dreimal hatte es heute schon sich erbrechende Wolkenmassen gegeben. Zweimal hatte Andreas sehr enttäuscht jeweils kurz vor dem Herabfluten vom Barfußlaufen durchs Watt Abstand genommen, nun hockte er entspannt hier, bloß Nimbus-, Stratus- und Kumulusbetrachter.

Kurzfristig galt seine Aufmerksamkeit nun den blassen Wolken im mit Milch und Zucker aufgepeppten Kaffee, dem Wechselspiel von Schaum und Blasen in irrwitzigen Wirbeln, wenn Andreas das Getränk mit dem Löffel in Schwung brachte.

Nach kurzer Versenkung in diese Turbulenzen hob er wieder den Kopf. Die bleigrauen Ballungen über der See waren fast wieder verschwunden. Konturenscharf schloss die Kimm in gewohnt leichter Krümmung mit einem schmalen dunklen Lilastreifen das Meer vom Himmel ab. Kein Regen, es war hell und ruhig geblieben.

Am Tisch neben ihm nahm ein Mann Platz, der von der Bedienung Hagen genannt wurde. Er orderte ein Pils. Der etwa Fünfzigjährige grüßte mit deutlichem Kopfnicken zu Andreas hinüber. Andreas antwortete ihm mit einem »Hallo«. Irgendetwas Vertrautes ging von dem Älteren aus, in dessen hagerem Gesicht weiche Partien auffielen, und der ihn nun direkt ansprach: »Sind Sie Journalist oder Schriftsteller?«

»Na ja, so was Ähnliches, aber hier bin ich nur bildungsbeflissen, nicht beruflich. Aber wie kommen Sie darauf?«, antwortete Andreas merkwürdigerweise ohne Zögern.

»Das habe ich gleich gemerkt, dass Sie kein typischer Gast auf unserer ewig feuchten Inselprinzessin sind. Sie wissen doch hoffentlich, wie Sie manchmal gucken, ja?«

Andreas hätte diese intime Frage am liebsten gar nicht gehört. Da er aber genau wusste, was sein Gegenüber meinte, schwieg er einverständig.

»Darf ich mich zu Ihnen setzen, quasi als Kollege. Ich bin Hagen Steven, Inselforscher aus Liebhaberei und Nestbeschmutzer aus Berufung.«

Andreas willigte ein, musste lachen und stellte sich ebenfalls knapp vor. Mit einem kaum merklich humpelnden Schritt wechselte der kontaktfreudige Inselbewohner zu seinem Tisch. Andreas, der sowieso glaubte, bei allen Insulanern Reste der alten Strandräubermentalität vorzufinden, hatte gleich seinen heimlichen Namen für den neuen Tischnachbarn. Stumm nannte er den vermutlich Einbeinigen, der sich gerade als Hagen Steven vorgestellt hatte, Käpt'n Silver.

Der Herübergewechselte lachte, als er Andreas' versunkenen Blick bemerkte: »Jaja, mir fehlt ein Bein, da könn'se ruhig hinkieken.«

Andreas blieb gefasst und neugierig: »Wollen Sie mir sagen, wie das passiert ist?«

»Verkehrsunfall eher weniger, mehr eine Wassersportverletzung, ein weggequirlter Unterschenkel, ein Zusammentreffen von Fremd- und Eigenantrieb, wenn Sie so wollen.«

Der Einbeinige erzählte sehr gelassen von diesem Ereignis. Im Sommer 1963 – es war ungewöhnlich heiß gewesen – hatte er sich in Badehose auf die Fähre zum Festland geschlichen. Das war kein Problem, weil – übrigens bis heute – die Karten erst beim Verlassen des Schiffes kontrolliert werden. Dann, gerade als sie das kleine Hafenbecken verlassen hatten, war er aus purer Lust und weil er es immer schon mal machen wollte, gestreckt übers Heck ins sprudelnde Wasser gehechtet. Der Sog der Schiffsschraube war wohl ein bisschen zu kräftig gewesen, jedenfalls zerschmetterte sie ihm das rechte Bein, das ihm dann im nächsten Krankenhaus an der Küste amputiert werden musste. Die Schiffsbesatzung hatte gegenüber amtlichen Stellen und der Krankenkasse einhellig von einem Unfall gesprochen – so was gab's damals noch! Er selbst konnte erst nach einigen Tagen im Krankenhaus vernommen werden. Seitdem lebte er als Invalide und Erbe des elterlichen Vermögens auf der Insel. Hagen Steven alias Käpt'n Silver entnimmt seiner Windjacke einen Tabaksbeutel und stopft sich eine schöne gebogene Peterson mit einer schwärzlich grauen Mixture.

»Ich glaube an keinerlei Abenteuer. Nur an kleine oder große Übel, an widerwärtiges oder gerade so erträgliches Leben. Nur Abstufungen, keine großartigen Alternativen. Und Baltrum hat davon ein besonders kleines Spektrum.«

Käpt'n Silver zündete sich die Pfeife an, paffte, und ein rauchiges Pferdestallaroma breitete sich aus. Der Mann interessierte Andreas, nicht bloß weil er selbst einmal Pfeifenraucher gewesen war. Sein Erzählfluss und die Andeutung einer kühlen Haltung zur sonst eher dick aufgetragenen Inselidentität gefielen ihm.

»Aber für Baltrum schreiben Sie, oder?«

Käpt'n Silver lachte leise auf.

»Baltrum will in die Medien, Baltrum will ins Guinnessbuch der Rekorde, Baltrum soll etwas Außerordentliches werden. Mit aller Gewalt. Dieser beklinkerte Schiss ins Wattenmeer hat neulich zusammen mit allen positiven Kräften einen Weltrekordversuch hingelegt. Und wissen Sie worin? Im Bollerwagenkette-Bilden.«

»Bollerwagenkette? Sagten Sie: Bollerwagenkette?«

»Jaja, kein Witz. Ich hole Ihnen mal etwas aus dem Café.« Er stand auf, verschwand verblüffend zügig im Innenraum und kam mit einer Zeitschrift zurück, die er Andreas reichte.

»Hier, lesen Sie mal!«

Unter einem schwarzweißen Titelbild mit hüpfenden Kindern und herumstehenden Erwachsenen war tatsächlich zu lesen: »Längste Bollerwagenkette der Welt auf Baltrum«. Das war etwas gänzlich Neues für Andreas Linden. Er war nicht ohne Fantasie, aber darauf wäre er selbst inmitten eines scharfen satirischen Anfalls nicht gekommen. Chapeau, Bürger von Baltrum, ihr bolleringen Innovatoren des Blödsinns! Käpt'n Silver amüsierte sich über das entgeisterte Gesicht seines Gegenübers.

»160 Bollerwagen, 280 Meter lang! Ja, wissen Sie das nicht? Das war doch erst vor einem Monat, ging bestimmt durch die Weltpresse, müssen Sie mal in Ihren Zeitungen nachsehen. In den Geschäften können Sie noch putzige T-Shirts mit Bollerwagenketten-Motiv erwerben, handsigniert vom Bürgermeister. Tja, hier is man richtig wat los in Baltrum.«

Er drückte vorsichtig die Glut in seiner Pfeife herunter, saugte behutsam an ihrem Mundstück und fuhr fort:

»Immer von Wasser umgeben, von riesigen Wassermassen, in denen man leicht ertrinken kann, auch das macht unsere Baltrumer zu dem, was sie sind: engherzig und klein, aber gute, sehr gute Nachbarn.«

Andreas gab zu, bisher, außer einigen trübsinnigen Eindrücken, nicht viel von der Insel mitbekommen zu haben. Immerhin habe er gestern Abend die Westkante Baltrums umrundet und sei bis zur gelben Düne gelangt.

»Sie sind also schon am westlichen Ende herumgetapert? Bis zur Hohen Plate röver? Da sind Sie bestimmt an Böllers Point vorbeigekommen.«

»Böllers Point? Sagt mir nichts, ist mir nicht aufgefallen.«

»Na da, wo der Strand vom westlichsten Ende der Insel in die Salzwiesen übergeht. Praktisch dort, wo Sandgelb in Wiesengrün wechselt. Aber es war vielleicht schon zu dämmerig, um das Holzkreuz, die Kränze und Blumengebinde zu bemerken.«

»Und wer ist da gestorben?«

»Böller, Gildo Böller, der fallschirmspringende Politiker. Vor einem Jahr stand der doch groß in den Zeitungen. Kennen Sie den Spruch nicht: Ich bin stolz, ein Schnäuzer zu sein. Da hinten, wo Sie letzten Abend waren, ist nämlich die Stelle, wo dieser Politkracher mit seinem ungeöffneten Fallschirm ungebremst im Sand aufsetzte und zügig verschied. Daher, unter der Hand, versteht sich, Böllers Point.

Hundert Absprünge wollte er im letzten Jahr machen, um für seinen Wahlverein Stimmen einzuheimsen. Sein achtzehnter Anflug war sein flottester und letzter. Die Schnüre des Hauptfallschirms waren anscheinend völlig verwirrt gewesen. Nachdem Böller ihn endlich abgeworfen hatte und vermutlich den Reserveschirm öffnen wollte, war er schon auf Baltrum gelandet. Aus.

Mittlerweile ist sein Aufschlagspunkt eine gut besuchte Pilgerstätte für Freund und Feind. Hinter vorgehaltener Hand kursieren auf der Insel gemeine, geradezu zynische Witze über den Gefallenen, man munkelt auch über politische Motive seiner Parteifreunde. Die Staatsanwaltschaft untersucht das wohl auch immer noch. Manchmal hört man auch Gelächter an Böllers Point. Illegale und illoyale Insel-Subkultur, wenn Sie so wollen, aber in Beziehung zu setzen zu einem seit dem Aufschlag 4,5 Prozent höheren Touristenaufkommen auf Baltrum.«

»4,5 Prozent passen auch in diesem Fall gut zu Böller.«

Käpt'n Silver lachte: »Passen Sie mal auf, dass man Sie hier nicht auch als Zyniker entlarvt.«

Andreas hatte sich nach zwei Stunden verabschiedet und seinem aufgekratzten wie aufgeklärten Inselkenner angekündigt, dass er morgen wieder hierherkommen werde.

»Ach, wir werden uns schon wiedersehen, Herr Linden. Dann müssen Sie aber mal was erzählen, nichwoar.«

Andreas freute sich auf die nächste Begegnung mit Käpt'n Silver.

Das östlichste Ende der Insel hatte er jetzt fast erreicht, prompt fing es leicht zu regnen an und es wurde düster. Andreas war dennoch entschlossen, den ihm noch unbekannten Weg am Rande des Südhellers zu nehmen, der direkt nach Westen wieder in die Siedlung führt. Er war anscheinend jetzt der einzige Mensch hier draußen. Er nahm die wattigen Umrisse der östlichen Nachbarinsel Langeoog wahr. Der Wind hatte noch mehr abgenommen, machte der an- und abrauschenden See klanglich keine Konkurrenz mehr.

Andreas kletterte einen sandigen Dünenpfad hinauf und sah, oben angekommen, eine extrem wellige Landschaft vor sich liegen, ein eingefrorener Sturm aus dunkelgrünem Wasser. Ein breiter schwarzbrauner Strich zog sich fast gerade von ihm weg durch die bewachsenen Dünenhügel und verlor sich nach einigen hundert Metern im Diffusen. Das musste der breite, bequeme Weg direkt zum Ort sein. Prima. Also auf, beziehungsweise hinunter, und dann zügig zum Pils. Andreas bekam Durst. Nach einer guten halben Stunde flotten Gehens müsste er vor einem goldgelben Glas sitzen. Als er fast unten angekommen war, staunte er.

Dieser verdammte Weg war voll Wasser gelaufen, und er war der einzige in dieser Karte eingetragene, der inlandig den Osten mit dem Westen verband. Nun war dieser dick eingezeichnete Wanderweg am Rande des Osthellers nichts als ein unkalkulierbarer Kanal, vielleicht noch für Pferde passierbar, wahrscheinlich geeignet für Plattbodenschiffe. Auf der Inselkarte war Baltrum märchenhaft als »Das Dornröschen der Nordsee« ausgeschmückt worden, »Regentrude der Nordsee« wäre treffender gewesen!

Aber es half nichts, er musste querfeldein hindurch. Warum hatte er sich auch eitel auf schicke Turnschuhe kapriziert, statt schweres Wandermaterial über die Füße zu streifen? Aber so etwas hatte er gar nicht dabei, warum auch. Schwarze, schaumgepolsterte Wildlederturnschuhe müssten reichen für sandige und asphaltene Wege. Von Sümpfen, Moorlöchern und kreuz und quer durch die Insel laufenden Kanälen war nie die Rede gewesen und auf dem Baltrum-Plan kein Hinweis zu finden. Wieder einmal war die Abbildung der Wirklichkeit in die Binsen gegangen.

Auch gab der Plan der Insel keine saubere Auskunft darüber, in welcher buckligen, vertümpelten Schlammecke er sich eventuell gerade befand. Wahrscheinlich stammte die kartografische Darstellung Baltrums noch aus der Zeit vor 1989, als es noch galt, den Russen orientierungslos zu halten, falls die Rote Armee Baltrum per Schiff oder Fallschirm erobern wollte. Nach kurzem Nachdenken gestand sich Andreas ein, dass dieser Einfall ihm zwar sehr zusagte, weil er ihn jetzt erheiterte, dass er aber wohl die bewusste kartografische Vagheit falsch einsortierte. Touristin und Tourist sollten sich im gleichmäßig grün gemalten Ostgebiet der Insel gefälligst nur an die spärlichen, fett markierten Wege halten. Details darin würden bloß unerwünschte Abschweifungen provozieren, und denen wird im wahren Sinne des Wortes planvoll vorgebeugt.

Außerdem – wies nicht schon der Text zu Baltrums zweidimensionaler Verniedlichung auf Ungemach hin, wenn da in einer Überschrift steht: »Emfehlenswerte Wanderungen« – »Emfehlenswerte« ohne »pf«? – Ha! Karl Kraus hatte schon gewusst, dass mit derartigen Sprachdeformationen die pure Barbarei sich verrät. Und prompt steckte Andreas nun inmitten barbarischer Inselwildnis, auch dank dieser Parodie auf eine brauchbare Karte.

In den zwei Buchhandlungen, wo er nach einem akzeptablen Baltrum-Plan gestöbert hatte, lagen auch sogenannte Baltrum-Krimis aus. Andreas hatte in ihnen geblättert und Bekanntes vorgefunden: handwerklich halbsolide Taschenbücher, deren Sprache und Personal kernige Klischees bedienten und deren Inseltopoi von Waterdanz und Windgesang auf jedes beliebige andere herbe ostfriesische Eiland transplantierbar waren. Hauptsache, ein paar Geschichtsdaten, ein paar hochgelobte Örtlichkeiten der Insel, viel Kandis im Tee und schon war das spezielle »Baltrum-Feeling« installiert. Was hatte das mit der wirklichen Situation hier und heute zu tun, was sollten diese konstruierten Beschönigungen der sozialen Ödnis? Eine spannende Kriminalhandlung auf Baltrum? Einfach lächerlich!

Andreas grunzte höhnisch, sah sich aber gleich danach skeptisch um. Gleich würde es so düster werden, dass er nicht mal mehr die durchfeuchtete und ungenaue Landkarte würde lesen können. Die Herumstolperei im Grenzgebiet zum Südheller musste dann komplett im Dunklen stattfinden. Dunkel am Südheller, nettes Paradoxon. Heller, Heller – was hieß das noch mal? Ist so was wie das Außendeichland, wenn ich mich nicht irre. Ist aber auch so was von egal, auf diesen Heller kann man sowieso weder einen Pfennig noch einen Cent setzen. Na, was soll's, Heller oder Batzen, los, weiter.

Auf einer miniaturformatigen Insel wie dieser konnte ihm eigentlich nichts passieren. Schlimmstenfalls könnte er sich den Fuß verstauchen, aber wohl kaum den Hals brechen. Er musste grinsen, weil er sich vorstellte, wie in der Zeitung unter Verschiedenes die Meldung folgte: »Verirrter Schriftsteller auf Insel verdurstet« oder: »Autor in Inseltümpel ertrunken«. Er hatte zu Studienbeginn mal eine Frau gekannt, Hera hieß sie, die so orientierungsschwach war, dass einige Bekannte meinten, allein würde sie niemals aus der acht Quadratkilometer großen Eilenriede, dem hannoverschen Stadtwald, hinausgelangen. Ein Männerwitz, der zu Beginn der Siebziger mal zündete, dann out war, aber in den späten Neunzigern wieder problemlos gebracht werden konnte.

Genau genommen war die Eilenriede in Hannover größer als dieses vertrackte südöstliche Baltrum, in dem er anscheinend kreuz und quer herumstocherte mit nur einem schwachen Lichtschimmer des Ortes als grobe Orientierungshilfe. Wege, Stege, Pfade waren hier nicht mehr auszumachen. Sich immer irgendwie in Richtung Licht halten und durch, lautete sein Beschluss, an den er sich im Folgenden strikt halten wollte.

Jeder Naturschützer, der ihn so kreuz und quer durchs Landschaftsschutzgebiet krachen und walzen sähe, würde ihn sicher mit Schaum vor dem Mund vors Inselstandgericht zerren – wenn es das denn gäbe. Andreas lachte grimmig auf und entwand seinen rechten Fuß einem zerrenden Dornengestrüpp. Wieso eigentlich war hier alles voller harter, dorniger und widerborstiger holziger Pflanzen, die sogar durch die Jeans stachen, die bloßen Fußknöchel schrammten und aufrissen, das dürfte wohl kaum das Doldige Habichtskraut sein oder das Sandglöckchen, vom sanften Hundsveilchen ganz zu schweigen, denn vermutlich befand er sich ja eher im Randgebiet der Salzwiesen.

Im Laufe der Jahre hatte sich Andreas jede Menge Pflanzennamen angelesen und versuchte nun, sein Wissen zu aktualisieren. Da gab es Queller, der zwar typisch, aber nicht aggressiv war. Kratzbürstig dagegen hörten sich Strand-Dreizack, Keilmelde, Sanddorn, Stranddistel und Klei-Nessel an. Roter Zahntrost, Gemeiner Hornklee und Dornige Hauhechel wirkten auch nicht vertrauenerweckend. Und diese ganze Armee aufgebrachter, bis ins Blattwerk bewaffneter Salzwiesen – Quatsch, momentan attackierten ihn eindeutig Dünenpflanzen.

Andreas war beim Studium der Inselführer aufgefallen, welches Aggressionspotential sich in den Namen heimischer Fauna und Flora manifestierte. Und nun erfuhr er nächtens am eigenen Leibe, dass diese Pflanzen ihren stacheligen Namen durchaus Ehre erwiesen. Baltrum war einfach keine Idylle.

Oh ja, er kannte eine Menge Inselpflanzen beim Namen, auch wenn er überhaupt nicht identifizieren konnte, was ihn hier in zunehmender Düsternis prickte und malträtierte. Die hier kannte er überhaupt nicht, weder sprachlich noch vom

Sehen her. Umso mehr fühlte er die rücksichtslose Gemeinheit dieser Kampfgewächse. Mit derartigen Begegnungen hatte er hier nicht gerechnet. Während er einen auf seine Stirn klatschenden Zweig wegwischte, dachte er, dass er wahrscheinlich nur von den Dünenpflanzen Notiz genommen hatte, denen er eine gewisse sprachliche Originalität zumaß. Was er sich auch merkte, meistens war es der reinste Meersenf – um mal bei der einheimischen Flora zu bleiben.

Plötzlich hörte Andreas weit vor sich im Westen einen kurzen, ächzenden Schrei, dann ein schwaches dumpfes Klatschen. Automatisch schaute er auf das Leuchtzifferblatt seiner Uhr. Drei Minuten vor neun. – Hörte sich fast wie ein Mensch an, war aber wahrscheinlich nur wieder so eine Krachmöwe oder der brünftige Fasanenhahn. Oder doch die Sichelgans, der Säbelschnäbler, die Pfeilschnepfe, die Spießente? Keine Ahnung. Er lauschte hochkonzentriert etwa eine Minute lang, regungslos an einen Kiefernzweig geklammert – den kannte er immerhin genau. Nichts. – Er zuckte zusammen. Direkt vor ihm flüchtete etwas knisternd durchs unterholzige Gras. – Mistvieh! schalt er das wegpesende Tier, musst du Inselratte oder Wasweißich mich auch noch erschrecken in diesem dornigen Drecksgestrüpp. Jetzt aber schnell weiter. Andreas eilte den struppigen Buckel hinab, trat mit rechts ins Leere, kippte seitlich in eine Pfütze, schrammte sich den Ellenbogen an einem Aststumpf auf. Aua. Er rappelte sich wieder auf und kicherte trotzig: »Die Welt ist was der Fall ist. Und siehe, sie ist schrecklich.« Ein doppeltes Aua für diesen Kalauer.

Andreas schimpfte, stolperte, fiel, aber ihm passierte nichts, was ihn aufhalten könnte. Eine Stunde später, kurz vor zweiundzwanzig Uhr, erreichte er endlich den Swienedrank, einen kleinen moorigen Teich vor dem Ort. Er putzte sich die Hände mit einem Papiertaschentuch ab, warf den beschmierten Zellstoff schwungvoll Richtung Wasser, voller Vorfreude auf das erste Pils.

Weg vom Heller, rein ins Helle, Zivilisierte! Hinein in das »Café Seestern«, Inhaber Ingolf Haafs, wie die Leuchtschrift vertrauenerweckend betont. Die andere Inselszene sollte hier zu Gast sein, hatte Erika behauptet: viele Jüngere, Aussteiger und ein paar Freaks. Nach Feierabend würden die Bedienungen aus den Hotels eintröpfeln, die eher untypischen Inselbesucher wären immer schon eher da. Andreas bemerkte gleich, dass die Atmosphäre hier im »Café Seestern« entspannter war als in der »Dünenburg«. Obwohl das Café gut besetzt war, bekam Andreas sein großes Pils innerhalb von fünf Minuten. Er nahm einen langen Schluck. Nach dem ersten tiefen Genuss schaute er durchs wasserbeperlte Fenster Richtung offene See. Da gab es nichts zu sehen, Düsternis verschloss den Blick. Andreas sah sich seine von der abendlichen Odyssee durch den Südosten der Insel gründlich eingesaute Jeans an, prüfte diverse blaugrüne Beinpartien und musterte blutige Risse und Abschabungen an Wade, Schienbein und Ellenbogen. Dem Südheller war er entronnen, hatte ein etwas peinliches Inselabenteuer mit klaren Spuren erlebt und einen großen Durst erzeugt. Diesem Zustand galt es zu entsprechen, auf Durchblick wollte er heute Abend auf gar keinen Fall mehr hinaus.

Als er sein zweites Glas gerade geleert hatte, öffnete sich die Eingangstür, und drei junge Frauen, die sich auf Polnisch unterhielten, betraten den Gastraum. Auf Anhieb stach ihm der Anblick Lenkas ins Auge und tiefer. Lenka war eine von den drei Serviererinnen in der »Dünenburg«, eine auffallend hübsche, eher zarte und leise Erscheinung. Ihre beiden Begleiterinnen kannte er nicht.

In seiner Bleibe gab es außer Lenka noch eine große, sanfte, dunkellockige Polin, die Tamara hieß, und Katrin, eine pralle Blondine deutscher Zunge. Die Namen hatte Andreas aufgeschnappt, den Rest wussten Hartmut Schwartenberg, der erfahrene Seminarleiter, und natürlich die inselkundige Erika aus der Seminargruppe.

Diese blonde Katrin dominierte die Gruppe der Bedienungen im Hotel »Dünenburg«. Sie war unverstellt die Platzhirschkuh, schien tückisch, arrogant und rassistisch zu sein. Ihre beiden Kolleginnen reagierten auf sie meistens stummgelassen oder auch mal amüsiert. Als Lenka einmal auflachte, hatte Andreas gehört, wie Katrin sie anzischte: »Da brauchst du gar nicht dein polnisches Lachen zu bringen, du Schlampe.« Lenka hatte sich murmelnd abgewandt.

Die Polinnen wurden von vielen Einheimischen und eingeheimsten Hotelfachkräften vom deutschen Festland wie weiße Nigger behandelt. Sie sollten froh sein, hier arbeiten zu dürfen und hatten zu funktionieren, wie alles, was billig besorgt wurde und von dem man hierzuinsel nicht viel hielt, sodass es überbezahlt erschien. Und wenn sie besonders hübsch waren, wurden ihnen noch andere Einkommensquellen unterstellt. Bei Lenka sollte es Klaas Bruns, der Chef der »Dünenburg«, sein, der Seminarleiter Hartmut Schwartenberg wusste erstaunlich viel von ihr zu erzählen, und die giftigen Blicke der blonden Katrin taten ein Übriges.

Lenka also hieß die anscheinend mehrfach Umworbene, diese dunkelhaarige Schöne aus Polen. Lenka mit der hellen, vollkommenen Haut. Lenka, weit weg von zu Hause, bedienend in der »Dünenburg«. Sie sei eine Geigenvirtuosin, war beim Frühstück erzählt worden. Lenka sei sogar eine Spitzenkraft auf der Violine, wusste Erika. Lenka sei so eine, die Musikerin und sonst nichts werden wolle. Dafür verdiene sie hier das Geld, allein um studieren zu können. Und deshalb schuftet sie für die Inselblödis, dachte Andreas, und dabei muss sie all die hotelinternen Nachstellungen in Kauf nehmen. Er flößte sich etwas mehr vom tröstenden Kaltgetränk ein.

Lenka – ist das nicht wie Jelena oder Jelica eine dieser slawischen Varianten von Helena, und um eine solche besondere Helena könnte es hier im Hotel Krieg geben, na wie passend. – Andreas war plötzlich von diesem Namen und seinen Spielarten ergriffen, der Fachmann in ihm übernahm das Kommando. Er erinnerte sich ab jetzt im Selbstlauf: Vom griechischen Namensvorbild Helena gibt es eine Menge vielsprachiger Kriegsgründe für Männer, überhaupt und in meinem Leben. Denke ich da nur an die cholerische Nelly aus Lille in Nordfrankreich oder an die strahlend-zerbrechliche Ilonka aus Passau. Beide für ihn heute untrennbar mit zerstörter Freundschaft, Großmannssucht und schließlich unerhörtem Liebeshunger verquickt. Lenka, Nelly, Ilonka: alle erst unfreiwillig so benannt, aber sich später einer Helena angenähert. Helena, die Leuchtende, die Sonnengleiche, was ja die Bedeutung ihres Namens ist – sie ist immer wieder der Preis, die Beute, die für Männer Unwiderstehliche, ein Pol im sich wiederholenden Geschlechterkitsch. Welcher weibliche Name außer Eva ist in unserem Kulturkreis stärker konnotiert, mit mehr Idealen, Begierden und Schrecken beladen?

Andreas schüttelte den Kopf über seinen gedanklichen Selbstlauf. Es gab kaum Nutzloseres als ein fast enzyklopädisches Namenwissen. Aber er hatte sich eine Zeit lang als Namenkundler in der Universität herumgetrieben und sich an

Deutungen aller Art zu schaffen gemacht, als Onomast oder – mit der gängigeren Bezeichnung – Onomastiker eben. Wenn er auf die Frage nach seinen beruflichen Tätigkeiten tatsächlich mal locker »Onomastiker« nannte, erntete er oft verklemmte Reaktionen und Nachfragen. Er war sich nicht ganz sicher, aber ein Onomastiker schien für viele – falls sie diese Bezeichnung nicht sowieso für einen Witz hielten – ganz in die Nähe von »Mastdarm« oder »Proktologe« zu rücken. Solche Reaktionen waren eine Motivation für ihn, traf er auf besonders Eitle oder Naive, mit gespielt verdrucksten Ausdruck den Satz »Na ja, ich bin Onomastiker« fallen zu lassen. Nur einmal hatte ihn eine Frau verblüfft, die daraufhin entgegnete, sie hingegen sei Oologe, und ein Namenkundler wie er wisse sicherlich, was das sei. Andreas wusste es damals noch nicht. Dass diese Frau eine Biologin war, die sich speziell mit Eiern befasste, hatte sie ihm erst beim dritten Glas Wein enthüllt. »Aber nur mit Eiern von Vögeln«, hatte sie sachlich ergänzt. Was war da Anspielung, was fachlich an dieser Präzisierung? Lebenslanges Lernen hörte eben auch beim Trinken nicht auf. Er bestellte sich ein weiteres großes Pils.

Immerhin warf seine onomastische Profession zu Hause hin und wieder kleinere Aufträge ab, sodass die augenfällige Nebensächlichkeit des Namenkundlichen doch von einer gewissen pekuniären Nützlichkeit angenehm flankiert wurde.

Andreas warf einen Blick zum von Nachtschwärze verschlossenen Fenster, das gerade von Regentropfen bepickt wurde. Helena, Elena, Ellen. Ellen. – Andreas wurde trotz trainiertem Kreislauf leicht flau. Ellen Buschhorn. Verdammt, warum musste er jetzt und in diesem Zusammenhang an Ellen Buschhorn erinnert werden? Schließlich war er stundenlang auf dieses kurkulturelle Eiland gefahren und geschippert, um nicht andauernd mit der Nase an sein gewohntes Umfeld zu stoßen. Also wenn schon Ellen, dann bitte bloß objektiv und als sprachliches Zeichen. Das Pils sollte ihm helfen, von dieser einen speziellen Ellen gründlich zu abstrahieren. Abstrahieren macht hart! Andreas führte energisch die Pilstulpe an seine Lippen, nahm den herben Strom in sich auf, setzte das Glas ab und konzentrierte sich auf sein Spezialgebiet. Dort wollte er Ellen namentlich schlagen, und zwar aus seinem Kopf!

Ellen – ein Vorname, der von einer Insel in die deutschsprachigen Länder gekommen war, im 19. Jahrhundert, als die englische Romanliteratur »in« war und adelige Damen gerne Ellen hießen. Feinster Import, alle diese Helena-Benennungen: von den griechischen Inseln ins kalte Mitteleuropa, vom feuchten Britannien aufs Festland zurück, von armen Polinnen nach Baltrum zum Geldverdienen und trotz Flucht aus meiner spröden Stadt in meinem Kopf hierher geschleppt: Ellen!

Er bestellte noch ein Pils, obwohl sich das »Café Seestern« fast geleert und die junge Frau hinterm Tresen ihm schon besorgte Blicke zugeworfen hatte. Hoffentlich heißt die nicht auch noch Ilka, Ella oder Elena, fuhr es Andreas durch sein versumpfendes Gemüt.

»Ellen ist eigentlich eine Maßeinheit«, hatte eine befreundete hannoversche Dichterin einmal geschrieben. Ein hübscher Satz. Ellen eine Maßeinheit. Das Maß war lange voll, Maß für Maß. Keine erquickende bayrische Maß. Eine Elle, schlicht eine trockene, nüchterne Elle ist die imaginäre Einzahl dieser Frau.

Eine Elle, bereits seit biblischen Zeiten genannt und am menschlichen Maß des Unterarms orientiert, war mal so etwas zwischen 50 und 80 cm gewesen. Diese Ellen galten von Brabant bis Bagdad, von Bordeaux bis Brandenburg, mal länger, mal kürzer. Sich mit Ellen zu messen hieß keinesfalls »Alles mit einer Elle messen«. Das objektive metrische System hatte schließlich die subjektiven Ellen überholt, veralten lassen.

Um welche Elle ging es bei Ellen, was war ihr Maß? Wie viel Ellen Abstand braucht man, um sich nicht mehr in eine hübsche, intelligente und sehr zielbewusste Juristin zu verknallen? Eine Frau, die nicht wie ein solcher aussieht, aber stur wie ein knallharter Westernheld ihren Weg geht. Ellen, die hart ihre Ellenbogen einsetzen kann. Und heißt nicht auch der Constable, also ein veritabler Polizist, in Shakespeares »Maß für Maß« Elbow, respektive Ellenbogen? Das Maß war voll. Verdammt, sie soll mir künftig immer mindestens fünf Ellen vom Leibe bleiben. Zum Teufel mit Ellen!

Maß für Maß. Andreas nahm einen weiteren kräftigen Schluck auf seine Inselflucht vor der verletzenden Ellenbogengesellschaft. Das ewig Gleiche: Wegen einer schönen Frau führen Männer Kriege oder Krüge. Es ist zum Speien! Aber das Thema hatte ihn nun am Haken wie dereinst Ellen selbst. Also weiter schlucken und onomastieren.

Das französische *elle* ist *sie*, also die einzelne Frau. Ellen als deutsche Mehrzahl von *elle* kann da nur heißen: diese *sie* sind all diese *sie*, Ellen gleich all die Frauen. Ellen umfasst also alle. Andererseits ist im Deutschen kein Plural von einer Ellen zu bilden. Die Ellen kann eine oder alle oder eine bestimmte Auswahl dieser Helena-Derivate sein. Grammatisch gesehen ist also eine Ellen von mehreren nicht zu unterscheiden.

Alles Gedanken von berückender Scheinpräzision. Das Pils begann also mächtig zu wirken, stellte Andreas befriedigt fest, legte großschluckig nach und bestellte einen weiteren Hopfentrank bei der freundlich-besorgten Bedienerin. Ansonsten war der Ort, das Café, in dem er nun schon seit zwei Stunden saß, aus seinem Bewusstsein gewichen. Er hatte nicht einmal bemerkt, dass Lenka, die seinen verbiesterten Namenkampf ausgelöst, längst das Lokal verlassen hatte.

Elle – das ist buchstabengetreu von vorn wie von hinten das Gleiche. Ellen dagegen bleibt sie nur von vorn, von hinten wäre Ellen – Nelle, ein Wort, das für sich gar nicht mehr existiert. Doch wie ist es mit diesem Vers vom schwedischen Sänger Bellmann, dieses barocken Lebemanns? »Rotwein und Pimpinelle und Bekassinchen zart und fein«, so singt der doch. Da haben wir also doch etwas für die Nelle: die Pimpinelle!

Pimpinelle oder Pimpernelle, das ist diese Doldenpflanze, wobei Pimper von lateinisch piper kommt, eine pfefferige Nelle demnach. Ellen wäre von hinten betrachtet als Nelle eine holde scharfe Dolde, ohne Pimper und Pfeffer. Dann doch lieber wieder von vorn: Ellen, die durch zwei Ellenbogen Charakterisierte!

Doch Moment, er hatte sich unvollständig erinnert. Es gibt doch dieses alte, dieses mittelhochdeutsche, also hochmittelalterliche *nel* und *nelle*. Wozu das hinreißende Grundstudium Germanistik nicht alles nützt, wenn das Ziel nur ein wirklich unnützes ist! *Nel* beziehungsweise *nelle* ist spitz beziehungsweise die Spitze. Nun wurde alles klar, daher auch bei Pimpernelle die spitzen Blätter dieser pfefferartigen Pflanze. Spitz und Spitze ist also Ellen von hinten – was in ihr alles so stecken kann, was aus ihrem Namen so alles rauszuholen ist. Ellen – Helena, du sonnige Spitze aller Frauen, mit spitzen Ellenbogen – konkret nun wieder gar nicht wahr: Ellens Armgelenke waren zart und rund! – Ellen, du treibst mich strahlend von dir auf diese Regeninsel und in labyrinthische Namensspekulationen, mit denen ich schön dialektisch deinen Zauber endlich entzaubern werde. Prost!

Andreas' mittlerweile unklarer Blick versuchte einmal mehr nach draußen zu schweifen, kam aber nur bis zum schlierigen Fensterglas, das von verwischten Tropfen gezeichnet war. Nässe mit Nassem bekämpfen, in dieser Frage war Andreas heute Abend Homöopath. Doch welche berühmten Ellen kannte er eigentlich?

Da wäre in seiner filmischen Biografie erst einmal Ellen Schwiers, dunkelhaarig, mit hohen Wangenknochen und intensiven, schräggestellten schwarzen Augen. Ellen Schwiers wirkte ebenso gefährlich erotisch wie exotisch, meistens als Femme fatale oder typische Slawin im deutschen Film der Fünfziger und Sechziger verheizt, klischiert, auf ihre Rolle festgenagelt. Ellen Barkin aus den USA war die andere: blond, mit herbem Gesicht, apart schiefer Nase, aber eben sehr attraktiv in ihrer irgendwie brodelnden Kühle – falls dieser Widersinn verständlich war. Beide Ellen, die Schwiers und die Barkin, waren immerhin nichts weniger als stromlinienförmig, waren keine Mammiputtchen, keine Barbie-Blödinen.

Doch seine Ellen, die er in seinem Kopf tilgen wollte, war näher an seinem Muster weiblicher Perfektion. Er konnte sich ihrer Gegenwärtigkeit nun nicht mehr entziehen. Sie war jetzt da, er sah sie genau vor sich. Jetzt sie stumm beschreiben, um nicht jammernd ihrem Bann zu erliegen. Los, Andreas!

Also, sie war auffallend groß und hübsch, aber im aktuell modischen Sinne nicht schön. Dazu war sie trotz voller Brüste und sehr schlanker Beine nicht normgerecht proportioniert, da ihre Schultern eher breit, ihre Oberarme zu muskulös, die Oberschenkel zu schmal, ihre Pobacken zu klein waren. Doch hatte er selten einen solch herrlich glatten Rücken, solche festen, geschmeidigen Arme bei einer anderen Frau gesehen, gefühlt; hatten ihn nur wenige andere bäuchlings vor ihm Liegende so angefeuert, hatte ihn ein kleiner Frauenhintern so zudringlich gemacht. Ellen Buschhorns Körper war eine perfekte Kombination von androgynen und femininen Partien, und deren verwirrend sexuelle Wirkung war ihm ganz neu gewesen.

Dennoch war es allein ihr Antlitz, das ihn vollends bezauberte und erschrecken ließ ob seiner unwiderstehlichen Anmut. Ihr Antlitz war es, das die etwas zu vollen und etwas zu wenig gerundeten Partien ihres Leibes in köstlichen Kontrast brachte, sie reizend, hübsch und erotisch auflud.

Denn »seine« Ellen hatte ein weiches, schönes, eher rundes Gesicht mit ausdrucksstarken großen dunkelgrünen Augen, die ihn mal unglaublich erotisch, mal unendlich lustig ansehen konnten.

Dichtes, dickes, gelbblondes Haar schmückte sie wie ein kostbarer Schleier, in den er immer wieder wie ein naiver Knabe ungläubig griff. Ein voller schöner Mund wie derjenige der Herzdame im Kartenspiel, aber noch ein bisschen scheinnaiver als die im französischen Blatt, riss ihn immer wieder zu wahren Küssorgien hin.

Ellens Lippen waren oft leicht lächelnd geöffnet und zeigten ihre ebenmäßigen, trotz Rauchens weißen Zähne. Beide oberen Schneidezähne waren einst länger gewesen und hatten vor dem ärztlichen Eingriff etwas häschenmäßig ausgesehen, was Ellen selbst als zu lustobjekthaft empfunden hatte. Ihr Lachen holte ihn jederzeit aus seiner Selbstversunkenheit, ihre körperliche Nähe stimmte ihn heiter, machte ihn quicklebendig.

Sie war ihm die verlockende, wärmende Sonne gewesen, allein durch seinen Blick in ihr Gesicht, egal wo sie hinblickte, von wem sie sprach. Ellen brannte noch in ihm. Weder in seinem Bild von ihr noch in der sprachlichen Aneignung ihrer Faszination war er jemals von Klischees, vom Kitsch losgekommen. Er war bisher nicht weitergekommen als dieser alte Tangotext:

> »So wie es mich traurig macht, am
> hellen Tag deiner Schenkel zu denken,
> die sich wie gestautes und hartes
> Sonnenwasser zum Schlafe strecken,
> und der Schwalbe, die in deinen
> Augen schwebend und schlummernd lebt,
> und des tollwütigen Hundes, den du
> in deinem Herzen birgst, ...«

Solche Muster waren wie eingestanzt in seine Ausdrucksmittel, beherrscht von rückhaltloser Begierde und – genau genommen – von undefinierbarer Sehnsucht. Es schien ihm sogar, als ob sie, Ellen, letztendlich nichts anderes als die fleischgewordene Sehnsucht sei, die jeder Analyse und intellektuellen Aneignung leicht widerstand. Wenn Andreas sich diese unbefriedigende Tatsache eingestehen musste, kam er zu dem Schluss, dass er eben noch kein echter Schriftsteller, noch kein wirklicher Künstler war.

Wind rüttelte leicht an mittlerweile heruntergelassenen Jalousien. Der feuchtkalte Strom musste nun genau von Dänemarks Westküste kommen, vom Skagerrak über Sylt, an Cuxhaven vorbei und nun mit Verve über die Ostfriesischen Inseln. Von Dänemark nach Baltrum. Andreas griff zu seinem

Pils und hielt wie ferngesteuert inne. Dänemark – was war mit Dänemark?

In seiner frühesten Jugend war Dänemark – Vivi Bach. Es prickelte vom Nacken aus den Rücken herunter. Er staunte über sich. Aber das war's: Vivi Bach! Heute längst vergessen, damals ein Film-, Schlager- und Fernsehsternchen, Letzteres an der Seite Dietmar Schönherrs. Sie war das erste Idol, das Ideal, das er in Ellen noch anmutiger wiederfand und lieben konnte. Vivi Bach also war es, Vivi von Viviana, lateinisch und sehr präzise: die Lebensvolle. Andreas gluckste vor sich hin. Die süße Vivi artikulierte dazumal einen besonderen anziehend-heiteren Mehrwert: ihr sehr dänisch eingefärbtes, singend verschliffenes Deutsch. Damals köstlich, niedlich und hocherotisch, aus heutiger Sicht eher komisch, doch immer noch einzigartig in der Erinnerung. Eine gruselige Entdeckung, dieser unterschwellige Vivi-Bach-Komplex. Däninnen und Schwedinnen waren damals die wahre Verkörperung der freien Liebe, genauer: der offenen Sexualität. Was seine gleichaltrigen Mitpubertierenden alles für Abenteuer mit diesen allesamt schönen, freizügigen, wohlhabenden und selbstverständlich scharfen blonden Mädchen gehabt haben wollten. Er war neidisch gewesen, aber hatte sich per Fernsehshow, weniger Filme und großer Vorstellungskraft Vivi Bach als seine anschmachtbare Göttin geformt, der er hin und wieder – streng geheim – mit Lust und Scham handgreiflich opferte.

Andreas leerte sein Glas und bestellte bei der Serviererin, die zu seiner Erleichterung zwar hübsch, aber klein und braunlockig war, ein weiteres und, wie er erfuhr, sein für heute Abend letztes Pils.

Ein deutscher Krimiautor hatte sich bezüglich einer anderen großen blonden selbstbewussten Ellen etwa so geäußert: Sie war für ihn der Hauptgewinn, er für sie ein Trostpreis.

»¡Esta noche me emborracho! – Heute Nacht besauf ich mich!«

Woher kommt noch der Name Ellen? – klar, hatte ich ja schon zu Beginn meines Pilslaufs: Helena, griechisch die Leuchtende. »Ain't no sunshine when she's gone«. Erst durch den Heller, dann zu Helena. Nun gab es kein großes Licht mehr, nur Regen, Wind und Düsternis um ihn herum.

Und ich war gerade mal der Arm der Leuchtenden, ich armer Leuchter! Waren das die Erleuchtungen, die im »Seestern« üblich waren? Saß man sturmumtost allein und widmete sich mündlich nur dem Pils? Ach, letztlich also alles Helena und ich hinterm Mond. Doch bloß keinen Krieg um sie. Sie würde sowieso als Einzige unversehrt aus ihm herauskommen. Und symbolisches Tun bei wichtigen Dingen war ihm immer schon zu blöd gewesen.

Ein guter Bekannter, der im Unterschied zu Andreas allerdings wirklich reingelegt und verarscht worden war, zog einen etwas schmuddeligen Rachetrip per Internet durch. Er suchte sich geeignete Bilder mit entblößten Blondinen auf den entsprechenden Websites aus und vergnügte sich mit rücksichtslosen Vorstellungen allseitigen Verkehrs.

Als dieser Bekannte in angetrunkenem Zustand das Andreas steckte, wunderte sich Letzterer: Na, wie originell! Lustvolle Selbstbefriedigung als Rache, darauf muss man erst mal kommen …

Er, Andreas, mochte Rache sowieso nicht, hatte kein Talent für sie, hielt sie für einen Rest von dumpfer Primatennatur. Er ging lieber weg, ließ lieber ein schlechtes Gewissen zurück als eine Drohung.

Hinsichtlich Ellens war seine beste Freundin anderer Ansicht. Sie, eine Liebhaberin und manchmal artistische Koserin des Wortes, hatte mit »Ringelblumen« ein durchweg verblüffend düsteres Anagramm-Gedicht verfasst. Das Buchstaben-Reservoir gab unter anderem den Vers: »Bring Ellen um« her. Selbst überrascht und beeindruckt vom tödlichen Gehalt dieser sanften, nützlichen Blumen, hatte sie jene Zeile unterdrückt, sie nicht im Gefüge des Ringelblumen-Anagramms veröffentlicht. Aber in einem Brief hatte sie Andreas den imperativischen Satz »Bring Ellen um« mitgeteilt.

Sieh mal an, solch eine ganz andere Blume des Bösen hat meine kluge Freundin geradezu angesprungen, hatte Andreas damals gedacht. Der Satz wurde für Ellens Präsenz in seinem Kopf Programm. Er verstand dieses »Bring Ellen um« als Aufforderung zum geistigen Kehraus. Und nun war sie wieder da, über eine schöne junge Polin verknüpft mit Helena.

Bis er Ellen traf, hatte er sich einfach nicht vorstellen können, dass ihn jemals eine Frau, die ihn länger, intensiver kennengelernt hatte, dass ihn eine solche Frau und Freundin einmal kalt fallen lassen und verraten könnte.

Sie hatte sämtliche Kontakte zu ihm ohne Streit und ohne Begründung abgebrochen, war mit einem biederen Unternehmensberater zusammengezogen und wahrscheinlich bald schwanger. Sie hatte ohne ein Wort die Tür hinter ihrem Leben zugeschlagen. Andreas trank den letzten Schluck.

»Sie müssen jetzt leider gehen, wir machen zu.« – Es war die Stimme der Servierin, die Andreas aus seinen Sprach- und Seelensümpfen riss. »Heißen Sie, heißen Sie – Helena?« – Sie lächelte und sagte nicht unfreundlich: »Nein, Eva, und jetzt bitte raus hier. Gute Nacht.« Andreas erhob sich.

Noch schlimmer als ein repetierender Onomastiker ist ein angesoffener Onomastiker, dachte er unscharf und trat glucksend hinaus in den feuchten Seewind. Und welche Frau wollte schon von einem schwankenden Namenkundler zusammenanalysiert werden? Die sind doch nicht doof, die Frauen!

Andreas erwachte gegen acht mit einem erstaunlich kleinen Kater. Nachts hatte der Regen in seine struppigen Träume hineingerauscht, nicht das Meer. Noch vor dem Frühstück war Andreas zum Strand gelaufen. Der riesige Himmel und der weite Ozean lagen nun grau und beweglich um den Strand. Scharf und dennoch ein wenig wattig pfiff der Wind in den mittleren Bereichen seines Tonumfangs. Blaue Löcher platzten im Zeitlupentempo durch das Wolkengewölbe. Schön zog eine Yacht vorbei, neigte seitlich ihr menschenbelegtes Deck dem Ufer zu, gefällig und eitel, gleichwohl so, dass es gefährlich ausschaute im kabbeligen Wellensalat.

Eine Viertelstunde später war Andreas Linden der dritte am gemeinsamen Frühstückstisch in der »Dünenburg«. Nach einem kurzen Begrüßungsritual heftete sich sein Blick auf die Tischmitte. Da war etwas passiert, da war ein Bruch zur bisherigen Essenstischerfahrung: Er war weg, einfach weg. Dabei hatte er vom ersten Tage an immer mehr Aufmerksamkeit auf sich gezogen.

Vom Weltgeschehen unberührt, ungerührt, klein, schmal, bewegungslos hatte er dagelegen: der Ohrwurm, in einer kaum mehr als ein Schnapsglas großen durchsichtigen Blumenvase, eine wahre Immortelle. Zwei schlappe rosarote, kurzstielige Blütenkelche dämmerten in dieser minimalen

Wassersäule vor sich hin. Was sollte dieses Ensemble den Tischgenossen sagen, diesen hergelaufenen Bildungsurlaubern? Dass sie als Gäste bestenfalls zweite Wahl waren? Dass hier auf Baltrum auch tierische Kleinigkeiten gegen das impertinente Gästepack eingesetzt wurden? Dass wir ganz Ohr zu sein haben, wenn der Hotelchef nach Art des Herbergsvaters zu der verkniffenen Seminar-Bagage sprach?

Der Ohrwurm selbst war bloß ganz Ohr und ganz Wurm gewesen. Einen Tag lang hatte er einfach so auf dem Grund des Glases gelegen. Am zweiten Morgen war er aufgequollen, er platzte, begann von innen seinen Chitinpanzer zu sprengen. Eine weißliche Wulst presste sich in der Körpermitte radial aus der bräunlichen Hülle. Der wasserumschlossene Ohrwurm im Glas wurde Mittelpunkt und heimliche Sensation der Mahlzeiten. Wie lange würde er bleiben, welche Veränderungen erfahren, was würde sein Verschwinden bedeuten?

Und nun war es so weit: Der Ohrwurm a. D. war weg. An seiner Stelle prangten drei kleine frische Blumen in der Vase. Ein Riss ging durch die Frühstücksatmosphäre – falls so etwas überhaupt passieren könnte. Die Bildungsurlauber und -innen tauschten sich munter darüber aus, bis einer fragte, wo eigentlich Hartmut bleibe. Der Referent kam und kam nicht. Nicht zum Frühstück, nicht zum Seminarbeginn. Das Frühstück wurde genüsslich ausgedehnt und so nebenbei der Hotelier gefragt. Achselzuckend und einsilbig gab der ein »Ich weiß es auch nicht« von sich.

Gerade als Karin vorschlug, doch mal energisch an Hartmut Schwartenbergs Zimmertür zu pochen, kam ein Mann in einer Art abgewetzter Jägerkluft ins Restaurant geeilt. Hektisch marschierte er zur Theke und verlangte von der blonden Kellnerin Katrin, sofort Klaas, also den Chef, herbeizuholen.

Andreas eilte im gleichen Moment mit leerem Teller zum Frühstücksbüfett, das direkt gegenüber dem Thekenzugang aufgebaut war. Während er warmes Rührei mit Schinken auf seinen Teller löffelte, kam Klaas aus der Küche und Andreas spitzte die Ohren.

»Du hast einen Toten, Klaas«, sagte der Lodenträger zum herbeigeeilten Hotelwirt.

»Ich habe einen Toten? – Wieso?«

»Vor zwei Stunden hab ich den draußen am Kiefernwäldchen gefunden, mit dem Kopp im Swienedrank. Die Polizei habe ich bereits mit meinem Handy verständigt, die kommen mit dem Hubschrauber rüber, die müssten gleich hier sein. Ich glaube, der Tote ist einer deiner Gäste, dieser Schwartenberg, der schon ein paarmal hier war.«

Andreas ging mit dem halb gefüllten Frühstücksteller eilig zum Gruppentisch.

»Hartmut soll tot sein.«

»Wer ist tot?«

»Na, Hartmut, liegt da draußen am Swienedrank, im Kiefernwäldchen, das hat dieser Lodenmantel da gerade unserem Hotelier erzählt.«

Ein halblautes Gemurmel hob an, Äußerungen von Bestürzung bis Bedauern überlagerten sich. »Und – war es Mord oder ein Unfall?«, fragte mit durchdringender Stimme die blass gewordene Erika. Bevor sich jemand dazu äußern konnte, betrat ein neuer Gast den Raum und stellte sich den kaum noch Frühstückenden laut als Hauptkommissar Schrader vor. Einen Augenblick später betraten zwei Uniformierte, danach vier Zivilbeamte kurz das Restaurant, die sämtlich auf ein Handzeichen des Hauptkommissars wieder verschwanden und die Wendeltreppe hocheilten.

»Meine Damen und Herren, bitte bleiben Sie hier und nehmen Sie weiter Ihr Frühstück ein. Ich muss Ihnen leider mitteilen, dass Ihr Referent, Herr Schartenberg, tot aufgefunden wurde. Ich bitte Sie, sich zu unserer Verfügung zu halten und das Hotel so lange nicht zu verlassen, bis wir mit Ihnen einzeln gesprochen haben.«

Andreas musterte den energischen Ankömmling: fahlgesichtig, fette Backen mit Längsfalten, Bauchwölbung an einem untersetzten, vernachlässigt wirkenden Körper; dennoch kraftvoll, mit klaren Augen und klaren Ansagen, auch wenn er den Namen des Toten falsch wiedergegeben hatte. Bestimmt so ein harter, humorloser Brocken, der nicht lockerlässt, dachte Andreas, während der Betrachtete weitere Verhaltensanweisungen von sich gab:

Die Zimmer dürften im Moment nicht aufgesucht, die Insel vor dem nächsten Tag nicht verlassen werden. Man müsse das Hotel, speziell die Räume der Seminarteilnehmer nach möglichen Beweismitteln untersuchen. Die zwei Uniformierten kamen nun wieder herunter. Einer blieb im Eingangsbereich des Essraums stehen, der andere verließ stumm die »Dünenburg«. Hauptkommissar Schrader ging zum Tresen und sprach mit dem Hotelchef.

»Dürfen die das, einfach so unsere Zimmer durchwühlen?«, fragte Ake halblaut. »Keine Ahnung, das lässt sich sowieso immer nur im Nachhinein klären«, meinte Andreas. Erika erwog, ihren Anwalt einzuschalten, Steffi trippelte nervös hin und her, Bärbel schmiegte sich müde an Ulf, Karin pellte sich diszipliniert ein Ei. Andreas beobachtete Letztere versonnen und musste an die trinkfeste Oologin denken, während er seinen dritten Kaffee schlürfte. Plötzlich schwirrten in gedämpfter Tonlage einige und auch erstaunliche Motive zwischen

Frühstückstisch und Büfett hin und her – merkwürdigerweise gingen alle von einem Mord an Helmut Schwartenberg aus, keiner nahm einen Unfall an.

»Was hat der bloß da draußen gemacht, im Dunkeln?«

»Er ist vielleicht bei einem Rendezvous überrascht worden.«

»Und von wem?«

»Vielleicht von der Polenmafia.«

»Das finde ich gar nicht komisch, und außerdem gibt's die gar nicht.«

»Warum nicht hier, wo die überall arbeiten, und Hartmut doch der einen hier aus dem Hotel ziemlich nachgestiegen ist.«

»Du meinst Lenka?«

»Ja, ich glaube, so heißt die.«

»Das ist doch alles an den Haaren herbeigezogen. Warum kein Raubmord oder so was?«

»Klaas Bruns, also der komische Boss hier, und Hartmut haben sich ja nicht sonderlich gemocht.« »So'n Quatsch, der Hotelier bringt doch nicht seine eigenen Gäste um.«

»Vielleicht hatte noch jemand eine Rechnung mit ihm offen, schließlich war Hartmut schon öfter hier und wirkte nicht wie ein Weichei, Mönch oder Kostverächter.«

»Ich denke doch schon eher an einen Raubüberfall, was weiß ich, Beschaffungskriminalität oder so.«

Andreas hatte sich aus den Spekulationen herausgehalten und aufmerksam zugehört. Ihn verblüffte die Lockerheit, mit der unverblümt eventuelle Gründe und Zusammenhänge geäußert wurden. Als ob sich die Gruppe in einem TV-Krimi befände. Außer ihm hatte nur Erika nichts gesagt. Unverwandt schaute sie auf ihre Müslischale, als ob sie von ihr hypnotisiert worden wäre.

Hauptkommissar Schrader kam zum Frühstückstisch zurück, fixierte nacheinander jedes Seminarmitglied und ordnete bestimmt, mit deutlich härterem Tonfall als beim ersten Mal, an: »Keiner von Ihnen verlässt die Insel! Ist Ihnen das klar? Am Hafen stehen zwei Beamte, die die Fähre und alle auslaufenden Schiffe kontrollieren. Der Flugplatz wird auch bewacht. Also bleiben Sie hier, genießen Sie Baltrum und halten Sie sich zu unserer Verfügung. Haben Sie das verstanden?«

Andreas Linden vernahm es verstimmt und entgegnete: »Alles klar, Herr Kommissar.«

»Wenn schon, dann Hauptkommissar. Richard Schrader ist übrigens mein Name. Sie gehören doch auch zu dieser Bildungsgruppe. Wie ist Ihr Name?« Andreas Linden erhob sich, nahm in abgehackter Bewegung eine überstramme Haltung ein, legte die Fäuste außen an die Hose und rief laut: »Andreas Linden, 45, ledig, Publizist und Rezitator, Sir!«

Der Beamte entgegnete gelassen: »Sie sind hier nicht beim Kindergeburtstag, Herr Linden. Verlassen Sie erst einmal nicht das Haus, und kommen Sie bitte pünktlich um elf zu mir in das Hotelbüro.«

Fünf nach elf klopfte Andreas an die Tür des Hotelbüros. Der Hauptkommissar öffnete die Tür. »Ich möchte gleich zur Sache kommen, Herr Linden. Wo waren Sie denn gestern Abend zwischen 20 und 22 Uhr?«

»Ab circa 20 Uhr habe ich mich an Strand und Watt erfreut und anschließend im Ostheller versucht, nicht in einem Wasserweg zu ersaufen, nicht von Dornen zerfetzt zu werden und mir nicht die Beine zu brechen. So gegen 22 Uhr war ich dann am stinkenden Swienedrank, wo es aber totstill war. Und bevor Sie mich fragen – nein, es hat mich niemand gesehen, beziehungsweise habe ich meinerseits niemanden bemerkt. Mein Alibi ist so gesehen keinen Halbsatz wert.«

»Sehr treffend, Herr Linden, dann können Sie sich auch etwas kürzer fassen. Ist Ihnen irgendetwas Besonderes aufgefallen?«

»Ja, klar. Hier auf Baltrum stehen unglaublich gefährliche Nachtpflanzen einfach so frei rum, Killerbüsche, Würgesträucher und Lassowurzeln en masse.«

»Herr Linden, Ihnen ist anscheinend der Ernst Ihrer Lage nicht bewusst. Herr Bruns, der Besitzer dieses Hotels, hat von einem heftigen Streit zwischen Ihnen und Herrn Schwartenburg erzählt.«

»Falls Sie Herrn Schwartenberg meinen, so stimmt das. Sollte ich ihn deswegen ersäuft haben oder was?«

»Ich bitte Sie einfach, mir meine Fragen so klar wie möglich zu beantworten. Also, worum ging's bei ihrer Auseinandersetzung, wie ging sie vonstatten?«

Andreas bemerkte erst jetzt, dass sich irgendetwas über ihm zusammengebraut hatte. Demnach hatte der Wirt Hauptkommissar Schrader vom heftigen Streit des Seminarleiters mit Andreas Linden erzählt. Den musste dieser Bruns mitbekommen haben, als er Rooibuschtee für Karin in eine Gruppensitzung gebracht hatte. Mag sein, Klaas Bruns hatte schon vorher hinter der Schiebetür zum Seminarraum gelauscht. Andreas erinnerte sich plötzlich fast wortgenau an den Höhepunkt seines scharfen Disputs mit Hartmut.

»Du weißt eine ganze Menge, Andreas. Und besonders gern weißt du eine große Menge besser. Aber eigentlich interessiert dich nichts hier. Das macht solche Leute wie dich gefährlich für andere.«

»Oh, danke, Hartmut! Deine Einschätzungen kannst du in die Tonne treten, meinetwegen in deine Biotonne!«

Die anderen Seminarteilnehmer hatten sich vor Unwohlsein fast gewunden, aber nicht Stellung dazu genommen. Als Hartmut ihn schmallippig angebellt hatte, einfach mal ganz konkret zu sagen, was er besser machen solle, hatte Andreas lapidar entgegnet: »Ich bin ja nicht der Seminarleiter.«

»Genau das habe ich mir gedacht, dass du so antwortest«, hatte ihm Hartmut laut entgegengeschleudert. In diesem Moment hatte der Tee bringende Klaas Bruns den Raum betreten.

Ja, jetzt war klar, dass er bis dahin gelauscht hatte. Welches Interesse sollte Klaas Bruns haben, ihn zum Verdächtigen zu machen, außer dass dem Hotelier sein Gesicht nicht passte. Wäre immerhin nichts Neues! Aber vielleicht war's ja der Wirt selber – bloß warum? Andreas, dem langsam mulmig wurde, versuchte kaltblütig und souverän zu bleiben.

»Das finde ich ja außerordentlich aufschlussreich, dass der reizende Herr Bruns mich hier als Mörder aufbauen möchte. Ein unglaublicher Quatsch, Herr Hauptkommissar. Haben Sie den schon mal unter die Lupe genommen? Wo war der denn – wie heißt es immer? – zur fraglichen Zeit?«

»Geben Sie sich keine Mühe, Herr Linden. Ihr Hotelwirt war den ganzen gestrigen Abend einschließlich der kompletten Nacht auf der Nachbarinsel Norderney. Dafür gibt es mehrere Zeugen. Wenn Sie nur einen einzigen für sich aufbieten könnten, wäre ich bereit, die Verdächtigungen Ihrerseits ein wenig ernster zu nehmen. Doch zurück zu Ihnen und Herrn Schwartenberg – also?«

Andreas berichtete knapp vom Streit um die seiner Meinung nach am Thema vorbeigehenden Inhalte, die Hartmut

Schwartenberg, zudem autoritär, in der Gruppe durchgesetzt hatte. »Das war's. Außerdem treffe ich immer wieder auf Leute, denen meine Nase nicht passt.«

»Kann ich verstehen, Herr Linden, kann ich verstehen. Aber das Interessanteste kommt noch.« Der Beamte zeigte ihm ein schwarzes Notizbuch. »Sie kennen das hier?«

»Das ist mein Notizbuch, natürlich. Was soll damit sein?«

»Sie erinnern sich sicherlich an Ihre letzte Eintragung, Herr Linden.«

Andreas überlegte, dann wurde ihm fast schlecht und er musste schlucken. Es entstand eine Pause, während der Kriminalbeamte ihn gelassen ansah. Andreas räusperte sich und sprach so beherrscht er konnte: »Da steht drin: ›Nachts wird der Seminarleiter umgebracht.‹ – Na prima, was für ein tolles Indiz, Herr Hauptkommissar! Dieser Eingangssatz kann feststellend gemeint sein, er kann einen Plan formulieren, und immer kann er auf die Wirklichkeit oder bloß auf eine literarische Vorstellung bezogen sein, nur dass das klar ist! Da bin ich mal Fachmann, Herr Hauptkommissar. Ich schreibe nämlich und dabei erfinde ich, was das Zeug hält. Meinetwegen können Sie das auch Lügen, absichtlich wirkungsvolles, vielleicht spannendes Lügen nennen. Irgendein Beweis oder auch bloß ein Indiz ist mein Satz nun wirklich nicht. Da können Sie oder meinetwegen der Richter sich jeden x-beliebigen Sprachwissenschaftler zum Begutachten holen. Der wird Ihnen etwa das Gleiche erzählen. Ihr Pech, dass ich Schriftsteller bin.«

Andreas Linden holte Luft und genehmigte sich ein Eukalyptushütchen aus einer winzigen Blechdose, ohne dem Kriminalbeamten eins anzubieten.

Offenbar hatte den die komprimierte Vorlesung so gar nicht beeindruckt: »Ach, wissen Sie, Herr Linden, wenn es so weit kommen sollte, haben wir bestimmt mehr in der Hand als diesen aussagekräftigen Satz in Ihrem bescheidenen Büchlein.

Wir haben da oben bei Ihnen im Zimmer auch Ihre Bluejeans gefunden, die sind auffallend stark und frisch verschmutzt. Und wenn ich mir so Ihre Hände ansehe, haben die gestern Nacht auch einiges abbekommen.«

»Aber ich habe Ihnen doch bereits dargelegt, dass ich mich im Dunkeln da am Südheller in Gestrüpp und Matsch verfranst habe.«

»Na gut. Darüber hinaus sind zwei offenbar frisch verschmutzte Papiertaschentücher am Swienedrank gefunden worden. Eines davon ist eine Marke, die es hier auf Baltrum nicht gibt, wovon Sie aber noch eine halbe Packung oben bei sich auf dem Nachttisch haben.«

»Aber ich habe Ihnen wiederholt gesagt, dass ich gestern Nacht querfeldein – doch Moment – was das Taschentuch angeht – von wem stammt denn das andere?«

»Das tut hier nichts zur Sache, Herr Linden. Ich möchte Ihnen nicht verhehlen, dass Sie im Moment ein dringend Tatverdächtiger sind. Wären wir hier nicht auf einer Insel, würde ich sie unverzüglich vorläufig festnehmen, nur dass das klar ist. Sie verdanken allein der Tatsache, dass hier unkontrolliert keiner weg und her kann, Ihre Bewegungsfreiheit. Seien Sie also froh und in Ihrem Interesse so kooperativ wie es eben geht.«

»Wenn Sie mich für einen Tatverdächtigen halten, werde ich wohl kaum in Ihrem Sinn kooperativ sein. Aber eine sachliche Frage habe ich nun mal an Sie. Woran ist denn nun Hartmut Schwartenberg gestorben?«

»Das ist hier sehr einfach und klar. Und da diese Informationen potentiellen Tätern nichts nützen wird, sage ich es Ihnen: Sein Genick ist gebrochen.«

»Ach ja, und das habe ich mit bloßen Händen getan. Vielleicht wie dieser christliche Brecher Ursus beim Stier in ›Quo Vadis‹ – Knax! Tolle Vorstellung.«

»Sie können sich vorstellen, was Sie wollen, Herr Linden, aber nicht alles tun. Schließlich haben Sie zudem gestern bis zur Sperrstunde im ›Café Seestern‹ getrunken und haben nach Aussage der Bedienung Eva Maiter – Sie erinnern sich? – einen reichlich ramponierten und deprimierten Eindruck gemacht.«

Andreas holte Luft, er musste sich gegen seinen aufkommenden Jähzorn stemmen, was keine Kleinigkeit war. Den Kommunisten seiner Universitätszeit galt er als zu anarchisch, den Libertären und Spontaneisten war er zu ordnungsfixiert und für die Normalos war er schlicht zu unberechenbar gewesen. Er riss sich zusammen und sagte überdeutlich: »Ich habe jetzt nichts mehr zu sagen, Herr Schrader. Ich habe den begründeten Verdacht, dass ich sowieso gegen eine Wand rede. Ich werde mich melden, wenn mir etwas Neues einfällt.«

»Ich bin sowieso mit der Befragung fertig. Also bis bald, Herr Linden.«

Andreas hatte sich für ungefähr vier Uhr nachmittags unverbindlich mit Käpt'n Silver im »Café Wogenprall« verabredet, weil der ihm noch einiges erzählen wollte. »Schließlich sind Sie ja ein richtiger Schriftgelehrter – oder?«

»Wenn Sie kein Pharisäer sind, meinetwegen.«

»Wer weiß, wer weiß. Na denn tschüss!«, hatte sich der Einbeinige verabschiedet.

Kurz vor sechzehn Uhr setzte sich Andreas auf einen weißen Plastikstuhl und platzierte auf dem ebenfalls blendenden

Tisch ein Reserve-Notizbuch, den unverhüllten Sonnenball vor der Stirn. Das nun war das »Café Wogenprall«, ein komischer Name für einen Ausschank hinter dem schützenden Deich. Aber war nicht die trocken-biedere Stimmung der insularen Bildungskomponenten in eine komisch-bedrohliche umgekippt? Innerhalb Baltrums war er nun frei wie ein Huhn in Bodenhaltung. Wofür und wohin er diesen meeresumgrenzten Auslauf verlassen würde, war paradoxerweise offen. Nie hätte er gedacht, einmal in so eine Geschichte hineinzugeraten, dazu noch auf einer derart bis aufs Klima reizarmen Insel.

Das seewassergeschützte »Café Wogenprall« war auffällig windarm, für eine Weile sonnig und daher fast voll besetzt. Ein kurzes Vergnügen wie es schien, da im tiefsten Nordwesten eine amorphe bleigraue Wand unbeeindruckt heranzog. Gleich darauf sah sich Andreas von einer anderen grauen Existenz angegangen. Äußerlich einverständig war er gezwungen, seinen Tisch mit einem kaltäugigen älteren Mann sowie dessen ebenfalls nicht erheiternden Frau zu teilen. Es war eines dieser Paare, die das Inselbild motivisch so dominierten, dass es ihn fast gruselte.

Zu diesem insularen Ungemach kamen Mütter so ab Mitte dreißig, hier im Café wie auch sonst eine häufige Spezies. Die traten meist derart selbstverständlich ellenbogenorientiert in Gastronomie und Supermarkt auf, dass es Andreas einmal mehr wunderte, wieso viele Eltern nicht von ihren Erzeugungen in passenden Momenten aus dem Weg geräumt worden waren. Lag es an der Rücksichtnahme gegenüber der Erbschaft, an der Überidentifikation mit dem Aggressor, vielleicht an purer seelischer Verschafung? Man weiß es nicht. Schlug das reifende Kinderpack dann doch einmal zu, hat's natürlich das Computerspiel oder Video ausgelöst.

Plötzlich erschien ein Kellner, baute sich ins Nichts schauend neben ihm auf und quälte ein »Ja?« über seine dünnen Lippen. Warum vermute ich bloß immer, dass mich Kellner, Hausmeister, Pensionsinhaber und ähnliche Koryphäen auf Anhieb nicht leiden können? Dass diese mir am liebsten gleich eine überzögen oder das Fell kräftig gerbten? Ärgerlich, wie anhaltend und intensiv mich deren Verhältnis zu mir beschäftigt.

Der gerade servierte, erstaunlich gute Kaffee brachte ihn wieder gedanklich an den Tisch zurück. Kaum hatte er die Tasse an die Lippen gesetzt, als der Käpt'n in seinem ganz eigenen Rhythmus heranschritt. Na prima! Andreas steckte sein Notizbuch ein, ohne ein Wort hineingekritzelt zu haben. Käpt'n Silver setzte sich und legte eine ausgebeulte Pfeifentasche nebst Tabakdose auf die weiße Plastikfläche. Nach der wechselseitigen Begrüßung entstand eine kurze Redepause. Der Käpt'n schaute nach oben in den sich eingrauenden Himmel und sagte: »Mal seh'n, ob sich da was zusammenbraut. Eingeschlagen hat es ja schon bei Ihnen in der ›Dünenburg‹, nicht wahr?«

Andreas wunderte sich ein bisschen, dass sein Gesprächspartner offensichtlich informiert war und gab daher nur in dürren Worten das bisher Erlebte wieder.

»Nu hat ja Baltrum seine Sensation frei Haus. Reporter der übelsten Sorte werden hier in Bälde einfallen. Machen Sie sich auf was gefasst, Herr Linden.«

Andreas ging nicht darauf ein, sondern hob das nächtliche Schreien im Watt hervor, nördlich von ihm auf der Insel, gestern so gegen neun. Ob das nicht vielleicht der Todesschrei Hartmuts gewesen sein könnte?

»Ach ja. Nee, dat kannst' knicken. Der verrückte Piper hat mal wieder seinen akuten Schub gehabt, das kennen wir seit Jahren. Der Hinnerk ist so harmlos wie ein Wattwurm. Mit dem Tod eures Bildungsgenerators hat dat nix to doun«, entgegnete Käpt'n Silver.

»Und wenn dieser Piper ein Komplize des Täters ist? Kann doch auch ein bewusstes Ablenkungsmanöver gewesen sein, oder?«

Der Käpt'n kicherte: »Als Komplize ist der nun komplett untauglich, der flitzt einfach gerne durchs Watt und brüllt gern mal aus Leibeskräften. Der entlastet Sie so wenig wie eine Miesmuschel.«

»Ich bin aber allein durch den Ost- und Westheller gestochert, als unser Referent verblichen wurde. Und nun klebe ich auf Baltrum als Tatverdächtiger und hab noch nicht einmal richtig Lust zu schreiben.«

»Sie kommen hier nicht weg und Sie schreiben nicht. Tja, denn haben Sie ja bannig Tiet mir zuzuhören. Denn wissen Sie, Tod und Herumirren, das erinnert mich an eine alte Sache, die hier mal passiert ist. Das ist eine wahre Geschichte, die aber leider in zwei Variationen kursiert.«

Der halb geschlossene Himmel hatte sich in blau durchbrochene Wolkenballungen verwandelt. Ein breiter Lichtstrahl traf für einige Sekunden den Kopf des Käpt'ns, der sich behaglich zurücklehnte. Andreas bemerkte die hageren, aber festen Gesichtszüge seines Bekannten, der in gleichmäßigem Fluss zu erzählen begann: »Es klingt heutzutage unwahrscheinlich, aber so was gab's mal. In den dreißiger Jahren wollte zu Weihnachten ein Seemann von seinem vorbeifahrenden Schiff aus auf Baltrum abgesetzt werden. Er stammte aus Baltrum, und dem Kapitän – sein Schiff lag auf Kurs Wilhelmshaven – war nach großer Fahrt nach einer großen Gefälligkeit zumute. Abends ließ er erst nördlich der Insel die Maschinen stoppen, dann ein Beiboot zu Wasser, darinnen zwei Matrosen, die den Sailor mal eben an den flachen Inselstrand rudern sollten. In der Fahrrinne war es diesig gewesen, aber als das Boot nahe der Inselküste in die leichte Brandung kam, geriet es schlagartig in dichten Nebel. Da sich die Ruderer strikt südlich hielten, mussten sie aber bald direkt auf insulares Land stoßen. Nach etwa zwanzig Minuten war es so weit, es knirschte unter ihnen, Sand, das musste Baltrum sein.

Der Einheimische steigt gutgelaunt aus dem Boot, nimmt seinen Seesack, bedankt sich und geht mit seinen Seestiefeln ein paar Schritte durch das flache Wasser, bis er auf dem Trocknen ist. Die rudernden Matrosen sehen ihn in aller Ruhe verschwinden, werden, vom Nebelhorn geleitet, wieder an Bord genommen, das Schiff setzt seine Fahrt ohne besondere Vorkommnisse nach Wilhelmshaven fort. – So erzählen die Beteiligten später immer wieder.

Bloß der Seemann wird auf der Insel nie mehr gesehen. Silvestermittag findet ein Insulaner, ein Onkel des Erwarteten, am Nordstrand eine angespülte Zigarrenkiste, in ihr aufgequollene Brasil-Zigarren. Es ist genau die Sorte, die der Vater des Verschwundenen am liebsten raucht. Die Familie, die den jungen Seemann zwischen Weihnachten und Silvester erwartet hat, fragt bei der Reederei nach. Sie erhalten die Auskunft, dass der Gesuchte in Wilhelmshaven von Bord gegangen sein muss.

Die Polizei wird eingeschaltet, der Kapitän und die beiden Matrosen werden vernommen. Mit der Bitte, es nicht an die

Reederei zu melden, berichtet der Kapitän von der Weihnachtsüberraschung für den Baltrumer Matrosen. Seine beiden Kameraden und Bootsleute werden vernommen, bestätigen den Bericht des Kapitäns und erzählen den Hergang ihres freiwilligen Fährdienstes. Sie sind erst mal nicht verdächtig. Der Fall bleibt rätselhaft, und da der Seemann nicht auftaucht, übernimmt die Kripo den Fall. Zwei Sachverhalte kommen zutage.

Der eine ist, dass der gute Junge zwar ein prima Seemann war, aber auch ein Großmaul. Er hatte gegenüber seinen Schiffskameraden geprahlt, dass er einiges Geld durch illegale Geschäfte, vielleicht Schmuggel mit Waffen, Devisen oder Rauschgift, besitze. Die andere Tatsache ist, dass bei einem der beiden Matrosen ein vergoldeter Becher gefunden wird. Der Becher ist natürlich ein Indiz ersten Ranges, weil ihn auch andere aus der Schiffsbesatzung beim Baltrumer Fahrensmann gesehen hatten.

Der Besitzer dieser Preziose behauptet hartnäckig, selbige vom Verschwundenen für eine Mauser-Pistole eingetauscht zu haben. Die Kripo glaubt das nicht, es kommt zum Prozess. Das Gericht stellt fest: Die beiden Matrosen hatten ihn nie an Land gebracht. Sie hatten ihn noch im Boot ausgeraubt und samt Seesack über Bord gestoßen oder auf einer Sandbank abgesetzt. Beide Matrosen werden schlussendlich wegen Raubes zu einer fünfjährigen Zuchthausstrafe verurteilt. Mord kann den beiden nicht nachgewiesen werden. Beide bleiben konstant bei der Aussage, den Baltrumer zum Strand gebracht zu haben.

So ist dieser obskure Fall von der Justiz abgeschlossen worden. Man kann diese Darstellung sehr verkürzt auch in hiesigen diversen Heimatgeschichten lesen, klingt ja schaurig-traurig genug.«

Merkwürdigerweise hatte der wetterwendische Himmel wieder aufgeklart und die Septembersonne warf ihre bleckenden Strahlen flach auf die Plastikmöbel. Der Käpt'n entnahm seiner Tasche eine andere Pfeife, eine dunkelbraune, gebogene Peterson. Während er die Schöngeformte langsam und sorgfältig stopfte, hob er seine Stimme: »Alles klar, meint man, ist aber nicht so. Jahre später wurde der Fall erneut aufgerollt. Der bis dahin größte Krieg der Menschheit war knapp vorbei, und einer der beiden verurteilten Matrosen hatte wie durch ein Wunder Zuchthaus und Strafkompanie überlebt. Der andere war in einem Konzentrationslager totgeschlagen worden. Doch einer lebte eben noch, war wieder in Freiheit und durch eine Erbschaft zu Vermögen gekommen. Wie sich herausstellte, war er der Sohn wohlhabender Eltern, als Fünfzehnjähriger von zu Hause weggelaufen und zur See gefahren, als Schiffsjunge. Jaja, ganz wie im Film. Und dieser Exmatrose, damals so fünfunddreißig Jahre alt, was macht der? Der traut sich auf die Insel. Kommt allein hierher nach Baltrum, wo ihn keiner kennt, trägt einen Vollbart und gibt sich unter einem Künstlernamen als Schriftsteller aus.

Nun gab es ja man damals noch keinen Tourismus bei uns, nur so ein paar Leute, die Gäste aufnahmen, und einen Inselkrug – das war noch ein Fremdenverkehrsparadies. Klar, dass man den Fremden aufmerksam bekiekte und ihm dann auch schon mal was über die Insel erzählte. Jedenfalls kam er in Kontakt mit der Familie des vor zehn Jahren verschwundenen Baltrumers. Dessen Vater erzählte ihm aus seiner Sicht, was er wusste, was er vermutete. Schließlich zeigte er unserem Inkognito auch die Überreste der Zigarrenkiste, die damals an den

Strand gespült worden war. Interessanterweise war der Vater nicht von einem irgendwie gewaltsamen Tod seines Sohnes überzeugt und äußerte auf Nachfrage auch keine Hassgefühle gegen die beiden schuldig Gesprochenen.

Der Vater hatte damals den Prozess und die Verurteilung in der ihm zugänglichen Presse sehr skeptisch verfolgt und kannte überdies seinen Sohn als leichtsinnigen, aber auch sehr kräftigen Raufbold. An einen Raub oder Raubmord mochte er nicht recht glauben. Kurz und gut – der Nachforschende lief wiederholt Strand und Watt ab, wälzte Bücher und Tabellen. Aufklärung – ihn hat diese Idee verfolgt wie Käpt'n Ahab den weißen Wal. Als er hatte, was er suchte, setzte er ein Schriftstück auf, erreichte tatsächlich eine Wiederaufnahme des Verfahrens, und die Kripo kam nach Baltrum.

Nach einer Begehung der Insel und ausführlichen Befragung der circa dreißig erwachsenen Inselbewohner kam es zu einem neuen Prozess, in dem der damals Verurteilte freigesprochen wurde. Kern der Begründung: Die zweiköpfige Bootsbesatzung habe den Baltrumer Seemann irrtümlich und in gutem Glauben bei steigendem Wasser auf einer Sandbank vorm Nordstrand abgesetzt.

Ein wichtiges Indiz war das rostige Skelett einer Mauser-Pistole, die ein insularer Strandgutsammler vor etwa neun Jahren aus einem mit Stoffresten durchsetzten Tangballen herausgepellt hatte. Die Polizei hatte gezielt und eindringlich die Baltrumer auch nach einem etwaigen Waffenfund gefragt und war bei einem von ihnen fündig geworden, der sich so ein kleines, privates Strandgut-Museum angelegt hatte.

Es war genau der Waffentyp, den der verurteilte Matrose bei seinem ersten Gerichtsverfahren angegeben hatte. Die Mauser war ja das Tauschobjekt für den vergoldeten Becher des

Baltrumers gewesen, der dem Verurteilten damals zum Verhängnis geworden war, weil er als Beweis für den Raub gegolten hatte. Der Matrose, der auch vor Gericht energisch auf einem Tausch bestanden hatte, hatte sich die Waffennummer gemerkt, sie auch im Prozess angegeben und damit aktenkundig gemacht. Mittels moderner kriminaltechnischer Untersuchung der Pistole war nun trotz des Rosts auf ihr die betreffende Zahlenkombination zu entziffern. – Gut, aber was war denn nun eigentlich passiert, da in der Weihnachtsnacht?

Fest steht – und das hatte der Matrose penibel recherchiert –: Es war damals gerade noch Ebbe gewesen, Springtide dazu, ablandiger Wind, Windstärke eins, also ein insgesamt extrem niedriger Wasserstand, auch bei schon auflaufendem Wasser. Bei solchen Bedingungen ragen die Sandbänke vor dem Strand schon ziemlich deutlich aus dem Wasser. Draußen auf dem Wasser war's zwar Vollmond und hell, aber um die Insel lag eben dicker Nebel und feiner Nieselregen kam runter.

Schwer sich zu orientieren, dazu in der Vorfreude auf den plötzlichen weihnachtlichen Landurlaub – da habe auch der ortskundige Seemann den Irrtum wohl nicht bemerkt. Als ihm klar geworden sei, wo er sich genau befindet und in welcher Gefahr, dürfte er sich einfach zu Fuß Richtung Insel aufgemacht haben. Möglicherweise sei er aber auch panisch durch einen Priel in die falsche Richtung gewatet. Wie auch immer, er müsse einfach in den steigenden kalten Fluten ertrunken und von der Strömung hinweggeschwemmt worden sein.

Er hatte sich anscheinend total verfranst, hatte sich einige hundert Meter von seinem Zuhause tödlich verlaufen – so scheint es. So was kommt vor, die Demut vor der See wird hierzulande – oder sollte ich besser hierzueilande sagen? – schon in der Grundschule gelehrt.

Der Seemann hatte keine Chance gehabt. Schwimmen konnte damals hier kaum einer, die meisten älteren Einheimischen können es bis heute nicht. Es gab, als ich jung war, außer mir nur ganz wenige. Und deswegen konnte auch jeder hier glauben, dass ich damals nicht absichtlich vom Heck gehechtet bin. Baltrumer tun so was einfach nicht.

Also, wenn ich da mal überlege: Von der mittleren Generation schwimmen ab und an der Hafenmeister Ulf Petersen und Folke de Buur, der Chef von der freiwilligen Feuerwehr. Ach ja, klar, und dann natürlich Klaas Bruns, Ihr Hotelwirt, ein richtig guter Schwimmer. Ansonsten Fehlanzeige. Bloß die ganz Jungen, die hier seit Jahren im Hallenbad Schwimmunterricht kriegen, klar, die können's fast alle. Das bringt den' ein Lehrer bei, ausgerechnet aus dem drögen Westfalen, der auf den lustigen Namen Karl Kessebühren hört. Erst machten's fast nur Touristen, nun auch unsere Inselgewächse. Komischerweise hat der Respekt vorm Wasser erst mit den schwimmenden Festlandratten abgenommen, so isses doch wohl.«

Der Einbeinige zündete seine Pfeife erneut an und schloss seine zweite Erzählung:

»Tja, auf Baltrum ist alles möglich. Zu Lande, zu Wasser und in der Luft – einfach tödlich. Bin mal gespannt, was aus der Sache mit ihrem toten Seminarleiter rauskommt. Dass Sie das nicht waren, ist mir jedenfalls völlig klar. Nur bestimmt der Kripo nicht. Apropos Kripo – ich muss los. Ich treff mich nachher noch mit Ritchie.«

»Ritchie?« – »Ja, Ritchie, Hauptkommissar Schrader. Is ja moal ein gaanz alder Bekannter von mir. Also tschüss, bis morgen, hoffe ich.«

Bevor Andreas nachfragen konnte, eilte Käpt'n Silver zur Café-Theke, bezahlte und verschwand nach einem kurzen Gruß.

Auf dem Rückweg ins Hotel ging Andreas immer wieder die Geschichten von Käpt'n Silver durch. In seinem Kopf waren einige Widerhaken hängen geblieben, aber welche genau? Und warum hatte er ihm das alles erzählt? Was stand noch auf der ungenau gehaltenen Baltrum-Karte: »Baltrum – das Dornröschen der Nordsee«. Jetzt aber, nach dem Mord am Seminarleiter und den anderen Geschichten, würde er Baltrum am liebsten als »Rumpelstilzchen der Nordsee« poetisieren. Diese Insel ging ihm auf die Nerven, und er fühlte sich von diesem seeumspülten, klinkerbestückten Haufen bedrückt wie von einem Sandsack.

Abends traf fast die ganze und wie verwaist wirkende Gruppe der Bildungsurlauber nach und nach im »Café Seestern« ein. Dort wurde bei verschiedenen Getränken spekuliert und auch bisher Verschwiegenes auf den Tisch gebracht. Schließlich machten Erika, Steffi, Ake und Andreas eine Doppelkopf-Runde auf und gaben sich fast stumm dem Kartenspiel hin. Kein neues Phänomen: Der Tod hatte sie einander näher gebracht, einschließlich des Störenfrieds Andreas. Schließlich blieben Erika und Andreas übrig und tranken Pils bis zur Schließung des Etablissements. Von ihr erfuhr Andreas nun eine Menge Hintergründiges.

Erikas Nähe zu Hartmut war größer gewesen, als er angenommen hatte. Sie war nicht bloß seine Vertraute, sondern auch während vergangener Bildungsurlaube in anderen Orten oftmals seine Gespielin in öden Nächten gewesen. Aber Hartmut war beim jetzigen Bildungsurlaub ihrer Zuneigung ausgewichen. Am letzten Abend hatte sie sich bis nachts mit

Ingolf Haafs in seinem Privatquartier getroffen. Ingolf, dieser interessante und Hasch rauchende Wirt des »Café Seestern«, hatte sie seinerseits sehr anziehend gefunden. Sie war nachts bei ihm geblieben. Überdies sei sie kein einfaches freundliches Weichei, betont sie mit schwerer Zunge. Zu Beginn der Achtziger hatte sie sich hochaktiv in der Frauenbewegung engagiert und lange Zeit als Teilnehmerin, dann als Trainerin im Selbstverteidigungskursus »Frauen schlagen zurück« gewirkt.

Erika erzählte nun drauflos, Andreas lauschte, bis ihm ab und zu die Augendeckel herunterklappten. Irgendwie kamen Erika und Andreas zusammen im Hotelfoyer an. Sie umarmten sich lange, Erika mit feuchten Augen, Andreas ihr Haar streichelnd, und suchten endlich wegwackelnd ihre jeweiligen Zimmer auf.

Von einem unruhigen Traum wach werdend spürte Andreas Druck auf der Blase. Mal wieder zu viel gebechert, raus, Wasser lassen. Passagen von Käpt'n Silvers Storys waren plötzlich präsent. Andreas richtete sich steil auf: Der Becher, der Gold-, nein, der Silberbecher mit der Kampfschwimmer-Widmung – den konnte er diesem unbeirrbaren Kriminaler morgen präsentieren. Hoffentlich war der Becher dann noch da!, schoss es Andreas durch den Kopf. Hellwach geworden eilte er ins Badezimmer, zog dann Hose und Pullover über, steckte Streichhölzer ein und pirschte leise die Wendeltreppe hinunter, immer wieder ins Düstere der »Dünenburg« lauschend. Ohne Hindernisse erreichte Andreas die gläserne Eckvitrine. Noch im Aufflammen des ersten Streichholzes suchte er den Abschiedsbecher für Klaas Bruns. Nichts. Er zündete das zweite Streichholz, das dritte und vierte an. Keine Spur von diesem aussagekräftigen Becher. All der Nordseenippes und die Inseldevotionalien waren so umplatziert worden, als ob da nie ein silbernes Trinkgefäß gestanden hätte. Andreas war ratlos. Kopfschüttelnd schlich er wieder in sein Zimmer zurück. Er war sich ganz sicher, diesen Becher weder geträumt noch nur von ihm erzählt bekommen zu haben. Er existierte, war entfernt worden, war also wichtig. Bloß warum?

Andreas knipste die Nachttischlampe an. Mit der aufflammenden Helligkeit durchflutete ihn heiß ein Gedanke, der ihn freudig erregte. Logisch, da hatte jemand den gleichen Gedanken wie er gehabt. Das war es: das Ei des Kolumbus! Unsichtbar und umso realer als Beweis. Wenn er herausbekäme, wo sich der Hotelwirt im Verlauf des gestrigen Abends jeweils minutiös genau aufgehalten hatte, dürfte für ihn der Fall gelöst sein. Freudig wackelte er im Bett auf und nieder und hielt dann einige Überlegungen rhapsodisch in seinem Reservenotizbuch fest.

Jetzt, am späten Nachmittag, überraschten Strahlenbündel, die durch düstere Wolkenhaufen schnitten. Über die spärlich belebten Verkehrswege Baltrums glitten Lichtinseln. Andreas hielt inne. Zwanzig Meter vor ihm auf dem Asphalt posierte ein Wildkatzenpaar.

Er fläzte sich mitten auf der Fahrbahn, maunzte ab und zu. Sie schlich träge um ihn herum. Einen Augenblick später betrat ein alter Knabe mit Schippermütze Andreas' Blickfeld. Mal sehen, ob der sich traut, dieser arroganten Bestie nahezutreten. Der offensichtlich Einheimische und Furchtlose trug einen Eimer mit Fischresten zu dem residierenden Riesenkater, machte einen halben Meter vor ihm halt und warf ihm dann schuppige und feuchtdunkle Fragmente zu. Völlig selbstverständlich verputzten beide Halbexoten das ihnen Vorgeworfene.

Andreas' leichte Bewunderung für diese faule Lebenspraxis wurde von einer ebenso leichten Schicht Angewidertseins überlagert. Was sich diese blöden Naturwesen immer so einbilden! Die Chance, dass der pelzige Macho da mal flach gefahren würde, schätzte Andreas aber sehr gering ein. Es waren auf Baltrum eben bloß Pferdefuhrwerke unterwegs, und die Kutscher und Lenker dieser langsamen Gefährte waren einfach zu aufmerksam, diese Monsterkatzen zu flink.

Flink war auch Andreas gleich nach seinem späten Frühstück zu Hauptkommissar Schrader geeilt, hatte ihn energisch angesprochen und zu einer kurzen Unterredung gedrängt. Der Kriminalbeamte hatte ihm fünf Minuten eingeräumt.

Andreas' Stimme war anfangs trotz versuchter Ironie ziemlich angespannt gewesen: »So, Sie haben mir ja angedeutet, dass der Wirt mich Ihnen gegenüber als Täter verdächtigt hat. Das ist ja fein. Ich kann ihn verstehen, der hat gute Gründe, einen Täter anzubieten, denn ich weiß auch etwas Eindrucksvolles. Unser sauberer Hotelier hat sich in der Dienstagnacht heimlich mit unserem Schwartenberg da am Tümpel getroffen und selbigem ein feuchtes Ende bereitet. So was macht einer wie Klaas Bruns mit links. Hat der Ihnen eigentlich mal verraten, dass er Kampfschwimmer bei der Bundesmarine war?«

»Nein, warum auch, das tut hier erst mal nichts zur Sache, Herr Linden. Im Übrigen war Herr Bruns auf der Nachbarinsel zur fraglichen Zeit, das war leicht zu überprüfen. Kein Schiff, kein Flugzeug, gar nichts ging vorgestern Abend nach Norderney oder von dort nach Baltrum. Beide Hafenmeister und Flugplatzwarte sind genauestens befragt worden. Klaas Bruns war auf Norderney, Herr Linden, und damit Schluss.«

»Der Wirt ist nicht bloß ziemlich eingebildet, er ist – und das kann ich einwandfrei belegen –, er ist zudem ein vorzüglich ausgebildeter Kampfschwimmer. Für den sind 300 Meter Schwimmen ohne Ballast ein Klacks«, sagte Andreas mit gleichsam fachmännischer Lässigkeit. Der Kriminalbeamte zog die linke Augenbraue hoch, doch Andreas fuhr unbeirrt fort:

»Sie haben mir doch gesagt, dass unser Seminarleiter abends so gegen neun umgebracht worden ist.«

»Er ist um diese Zeit herum gestorben, und es besteht nur Verdacht auf Mord, Herr Linden. Im Übrigen ist Klaas Bruns noch um 20 Uhr 15 am Nordstrand von Norderney gesehen und klar erkannt worden, hatte zudem die betreffende Zeugin gegrüßt. Keine Chance, Herr Linden.«

»Und ich habe eventuell den Todesschrei von Herrn Schwartenberg gehört, das war genau 20 Uhr 57, da war ich noch mindestens zwei Kilometer vom Ort entfernt.«

»So ein Pech, Herr Linden, der plötzliche Tod trat aber ziemlich exakt um 21 Uhr 15 ein.«

Der Käpt'n hatte also mit seiner Vermutung über die Harmlosigkeit des Schreis richtig gelegen, fuhr es Andreas durchs Hirn. Immerhin hatte er nun den genauen Todeszeitpunkt. Kühn geworden bemerkte er: »Und ich garantiere Ihnen, dass der reizende Herr Bruns mindestens eine halbe Stunde vor und nach dem Verscheiden Hartmut Schwartenbergs keinerlei Alibi besitzt. Das weiß ich ebenso sicher, wie dass ich zu dieser Zeit am schlammigen, widerborstigen Ostheller herumgeschlingert bin.«

»Sie glauben doch wohl nicht ernsthaft, Herr Linden, dass ich Sie als Hobbyermittler hier herumpfuschen lasse.«

»Vielleicht hören Sie mir trotzdem noch ein bisschen zu, Herr Hauptkommissar, ich mach's auch kurz. Also, der Hotelier ist auf der Nachbarinsel Norderney zu einem Gastronomentreffen in einem Hotel eingeladen. Er hat sich schon gegen 20 Uhr zu einem Strandspaziergang abgemeldet, vielleicht, weil er etwas klären müsse, vielleicht ein Rendezvous angedeutet – was weiß ich. Na ja, egal. Klaas Bruns ist dann bei ruhiger See die schlappen 300 Meter nach Baltrum hinübergekrault, hat sich mit dem Seminarleiter um 21 Uhr getroffen, um ihm eine finale Abreibung zu verpassen, was ihm auch gelang. Nach getaner Tat ist er wieder zurückgeschwommen, ist in den Ort gerannt, hat sich hergerichtet und ist dann um 22 Uhr 15 mit nassem Haar in der Hotelbar aufgetaucht. Kein Problem, es hat ja geregnet, und der Bruns ist als wetterharter Naturbursche bekannt. Und das war's auch schon. Von wegen, der hat ein wasserdichtes Alibi! Fragen Sie ihn doch mal, ob er Kampfschwimmer war, und was das genau heißt. Und auch, ob er diesen Hartmut Schwartenberg nicht vielleicht abgrundtief gehasst hat.«

Der Hauptkommissar war kühl geblieben, hatte auch keine mimische Reaktion gezeigt. Seine Stimme war allerdings um eine Nuance angespannter, als er ihm sagte: »Danke, Herr Linden, für Ihre fantasievollen Bemühungen, aber ich muss mich nun meiner wirklichen Arbeit widmen. Und bitte, erzählen Sie weder mir noch den anderen Teilnehmern irgendwelche Räuberpistolen. Auf später, Herr Linden.«

Trotz der sehr verhaltenen Reaktion Schraders war Andreas nicht unzufrieden aus der »Dünenburg« zum Strand geeilt, wo er sogar einige fröhliche einbeinige Hüpfer zuwege brachte. Nach einigen hundert Metern mit unregelmäßigem Tempo am Strand entlang kehrte er wieder zum Hotel zurück. Im

Treppenhaus kam ihm eine sehr blasse Lenka entgegen, die er demonstrativ freundlich grüßte, da er sie beim Morgenbüfett nicht gesehen hatte. Sie erwiderte sein lächelndes »Moin« mit einem verhaltenen »Guten Tag« und bewegte sich eilig an ihm vorbei die Stufen hinab.

Mit Schwimmzeug und Wasserflasche tauchte Andreas eine Viertelstunde später im Baltrumer Hallenbad mit dem irren Namen »Sindbad« auf, dessen Aussehen seinem Kunstnamen entsprach. Bevor er ins Wasser ging, musste er zum zweiten Mal an diesem Donnerstag tierisch gerührt innehalten: Er sah sich mit zwei blöd grinsenden Seehundplastiken am Beckenrand konfrontiert. Aber das war nicht alles. Eine Wasserrutsche schlängelte sich aus einem schiffsrumpfartigen Konstrukt heraus, das in flotter Laufschrift den Namen »Gorch Fock« trug. »Seefahrt tut weh, Baltrum ist Not!«, brummelte Andreas vor sich hin, während er stöhnend ins laue Wasser glitt.

In Erinnerungen an den bisherigen Tagesablauf versunken, ließ Andreas das Wildkatzenpaar hinter sich. Er strebte auf das »Café Wogenprall« zu, weil er hoffte, dort Käpt'n Silver bei einem Nachmittagskaffee zu treffen. Ob er von dem mehr über Hartmuts Hinscheiden erfahren konnte? Dieser Freund von »Ritchie« Schrader war vielleicht wieder sehr gesprächig, und er hatte Käpt'n Silver ja auch einiges zu erzählen. Als Andreas in das sanfte Dünental einbog, sah er zu seiner Freude den Einbeinigen auf der Terrasse sitzen, vor sich einen Kaffeebecher.

Nach einer Viertelstunde hatte Andreas dem ebenso ruhig wie interessiert Lauschenden seine Version des Tathergangs mitgeteilt, wobei er sich bemühte, triumphale Sprachposen zu vermeiden. Sein Gegenüber hatte ein paarmal genickt und sehr konzentriert eine feingemaserte Dunhill-Pfeife gestopft.

»Herr Linden, alles kann und werde ich Ihnen nicht erzählen, worüber ich mit Ritchie, also dem Kripo-Schrader, gesprochen habe. Aber einiges, was Sie, das Hotel und den ermittelnden Kriminalbeamten betrifft, möchte ich schon loswerden. Nun ja, Hauptkommissar Schrader und ich sind zuerst gemeinsam hier auf der Inselschule gewesen, dann drüben auf dem Festland am Gymnasium, immer in einer Klasse. Eine direkte Freundschaft war das erst mal nicht. Ich hatte ihm bei unseren häufigen Überfahrten mehrfach vom Wunsch erzählt, einmal vom Heck einer Fähre ins sprudelnde Wasser zu springen. Ich hielt das für mutig, abenteuerlich, Ritchie fand das albern. Wir redeten ab und zu darüber, es war einfach eine fixe Idee von mir. Nach der Amputation hat er aber nix davon verraten – es bleibt bis heute ein Versicherungsfall.

Ritchie war meistens zurückhaltend und so'n büschen dröge. Aber er konnte sehr komisch sein. Er war noch als Polizist ein glänzender und sehr komischer Joe-Cocker- und Mick-Jagger-Imitator, wenn er einen getrunken hatte. Das hätten Sie mal sehen müssen, wirklich zum Schreien.« Mit seinem Pfeifenbesteck stopfte Hagen Steven alias Käpt'n Silver den glimmenden Tabak behutsam fester.

»Ritchie war mein Schulfreund geworden, er wollte Archäologe werden, ich Kapitän. Als sein kränkelnder Vater schon mit Anfang fünfzig an einer Lungenentzündung gestorben war, hatte Ritchie gleich nach dessen Beerdigung seine Gymnasialausbildung abgebrochen. Er war kurz darauf in die Polizeilaufbahn eingestiegen, sozusagen ganz von unten. Erst Bereitschaftspolizei, danach Ausbildung zum Kriminalbeamten im mittleren Dienst und so weiter. Warum genau er das getan hatte, erklärte er mir erst zehn Jahre später – aber das tut hier ja man nichts zur Sache. Ich selbst musste dank beinlichen Handicaps den Traum begraben, Kapitän zu werden. Auch sonst bin ich kaum zur See gefahren – ein paar ostfriesische Fähren und andere Küstenkästen, das war's. Seefahrt perdu! Aber ich weiß ja, dass Sie eigentlich was ganz anderes von mir hören wollen, nich woah? Das sollen Sie auch, und zwar nur nach dem, was ich vom Hauptkommissar erfahren habe und was ich selbst so weiß.« Zwischen kleinen Paffpausen skizzierte der Käpt'n nun genüsslich seine mit kriminalistischen Informationen angereicherte Rekonstruktion des Todes von Hartmut Schwartenberg.

»Zwei kürzlich gebrauchte Papiertaschentücher hat die Spurensicherung am Swienedrank gefunden und untersuchen lassen. Eines ist von Ihnen, wie Sie ja auch gleich zugegeben haben. Die Zuordnung des anderen war nicht gleich klar, aber es hatte eine frappierende Eigenschaft: es enthielt neben den üblichen Sekreten Seewasser, bloß Seewasser, und das an einem Binnengewässer. Dieses Seewasser im Taschentuch, das war spannend, das musste erklärt werden, und das konnte man dann ja auch. Da hat Ihr Hinweis auf die besondere militärische Ausbildung unseres Hoteliers sozusagen den Spund aus dem Fass gezogen. Die Untersuchung einer entsprechenden Sekretprobe ergab, dass der Nasenschleim eindeutig Bruns zuzuordnen und erst kürzlich in den Zellstoff gelangt ist. Nun musste Bruns sprechen, und er hat dann eine ziemlich plausible Version von sich gegeben.

Angeblich hatte sich der Wirt mit dem Seminarleiter nachts am Swienedrank, dem mittlerweile bekannten Kieferntümpel, verabredet, ›um mal unter Männern über Lenka zu reden‹, wie er sich ausdrückte. Klaas ist nicht so draufgängerisch-dumm und männlich eitel, wie manche glauben. Ihm liegt sehr daran – wie soll ich sagen –, existentielle Konflikte äußerst diskret und so zivilisiert wie möglich zu seinen Gunsten aufzulösen. Schon bei der Bundeswehr soll er kein wüster Säufer und Schläger gewesen sein, sondern habe als zwar hart, aber zugänglich und kompromissbereit gegolten, wie die Kripo anhand seiner Akten feststellte. Deshalb auch die heimliche nächtliche Verabredung mit Hartmut, um Sprengstoff aus dem Verhältnis herauszunehmen. Und zum Zwecke solch einer Klärung ist er tatsächlich heimlich von Norderney – so wie Sie es vermutet haben – nach Baltrum gekrault. Von seinem Norderneyer Hotel ›Utkiek‹ zum Strand ist er mit einem Bike geradelt, dann hinein in die relativ ruhige See. Niemand sollte öffentlich von seinem Konflikt mit dem Schwartenberg Wind kriegen. Und wenn eben nichts bei dem Gespräch rauskäme, hätte er so tun können, als hätte es nie stattgefunden, da er ja zur betreffenden Zeit auf Norderney gewesen wäre.

Denn falls sein Hotelgast und Nebenbuhler nicht einlenken würde, war er immer noch der Hausherr und konnte Schwartenberg inklusive Seminargruppen künftig außen vor halten. Ein unaufgelöster Konflikt mit Hartmut würde öffentlich als einer mit den Bildungsurlaubern wirken, die Klaas einfach nicht mehr in seiner ›Dünenburg‹ dulden wollte.

Komisch, aber so scheint der gute Klaas wirklich zu denken. Er hatte noch nachmittags Handtuch, Wäsche und Trainingsanzug in einer Plastiktüte in einem Wacholderbusch an der Baltrumer Geeldün versteckt. Die Polizisten haben das Zeug mit noch feuchten Salzwasserspuren gefunden – auch eindeutig von Klaas Bruns getragen!

Vor dem Zusammentreffen hat Klaas ein Papiertaschentuch benutzt, um seine Nase vom Seewasser zu befreien, und es dann ins Gebüsch geworfen. Da er eben keine tätlichen

Absichten hatte, konnte er das unbedenklich tun und auch erst einmal vergessen. Klaas Bruns hat natürlich gesagt, dass er bei irgendwelchen finsteren Absichten nicht solche eindeutigen Spuren legen würde, das sei ja idiotisch. Ähnlich wie Sie, Herr Linden, sieht er dieses Beweismittel als Entlastung an. Zwei sinnvolle Aussagen von zwei zeitweise ziemlich Mordverdächtigen.

Klaas Bruns hat alles detailliert geschildert, aber darauf bestanden, dass er den nach einem kurzen Wortwechsel auf ihn losgehenden Schwartenberg bloß abgewehrt habe. Nach seiner Version ist Folgendes passiert:

Hartmut Schwartenberg sei – übrigens mit über 1,5 Promille Alkohol im Blut, wie bei der Autopsie festgestellt wurde – also, der sei demnach mit erhobenen Fäusten auf ihn losgegangen. Bruns habe den ihm Entgegenstürzenden kräftig mit offenen Händen zurückgestoßen, Schwartenberg sei nun mit einer halben Drehung zurückgetaumelt, gestolpert und rücklings in den Teich gekippt. Präzise auf einen Baumrest. Knacks, und schon vorbei. Sudden death. Ein alter Stamm mit einem tückischen Aststumpf lag unter dem Wasserspiegel, den hätte Klaas gar nicht sehen können. Irgendwelche Spuren von Gewaltanwendung oder einem Zweikampf fanden sich auch nicht, weder am Toten noch am möglichen Täter.

Ihr Seminarleiter lag nun tot im Swienedrank, genauer seinem gestrüppüberwucherten Rand – wildromantisch. Klaas Bruns hat dem Hauptkommissar gesagt, er wisse, wie ein Toter aussehe. Der Mund von Hartmut habe geklafft und seine Augen seien geöffnet und starr gewesen. Dem ist nicht mehr zu helfen, habe er sofort gedacht. Klaas Bruns hat sich zur Ruhe gezwungen und ist wieder rüber nach Norderney geschwommen, hat sich dort auf das Bike geschwungen und ist schnell zum Hotel zurückgepest. Den Silberbecher aus seiner Bundeswehrzeit habe er gleich morgens, nach seiner offiziellen Rückkunft von Norderney, aus der Vitrine genommen und in den Tresor gestellt, um nicht ›irreführende‹ polizeiliche Aufmerksamkeit zu provozieren – sehr rücksichtsvoll!

Es scheint kein Mord gewesen zu sein. Die Ergebnisse der Obduktion und die Rekonstruktion der Ereignisse sprechen sehr dafür. Der Seminarleiter ist offensichtlich bei einem Gerangel mit dem Hotelwirt ausgerutscht, hintenüber gefallen und unglücklich mit dem Genick auf diesen direkt unter der Wasseroberfläche lauernden Baumstamm aufgeschlagen. Genickbruch. Ein Unfall, schlimmstenfalls fahrlässige Tötung, selbst schwere Körperverletzung mit Todesfolge schließt der ermittelnde Staatsanwalt angeblich aus – so Ritchie.

Und ihr Hotelboss hat einen festen Wohnsitz, Flucht- und Verdunkelungsgefahr bestehen auch nicht – Klaas Bruns darf sich bis zur Hauptverhandlung frei auf Baltrum bewegen. Ach ja, und Sie plus Restbildungsgruppe werden ab morgen früh auch wieder offiziell unverdächtige Leute sein.«

Andreas war mit diesem genauen Bericht zufrieden und dennoch enttäuscht, ohne genau sagen zu können, wovon. Hagen Steven fuhr fort zu erzählen: »Es gab einen alten, tiefsitzenden Groll, den Bruns gegenüber Schwartenberg hegte. Dass der Hotelier die hemdsärmeligen Seminargäste nicht sonderlich mochte, da sie das gutbürgerliche Image der ›Dünenburg‹ relativierten, das war eine Sache. Bruns nahm sie in Kauf, da sie sein Haus und das Konto zu füllen half. Es hatte aber einen anderen Grund, dass er den Seminarleiter mit eisiger Distanz und dessen Bildungsurlauber mit bürokratischen Allüren behandelte. Der Grund waren die Frauen, die jungen, oft attraktiven Bedienungen, Zimmermädchen, Praktikantinnen in der ›Dünenburg‹. Mindestens zweimal hatte es da etwas gegeben zwischen diesem Schwartenberg und einer der weiblichen Lohnkräfte des Hotels.«

Andreas verstand nun noch besser, warum Hartmut den Hotelwirt Klaas Bruns gern als »Gauleiter, Herbergsvater, Oberförster« und so weiter durchaus habitustriftig tituliert hatte.

»Aber warum war die Situation zwischen den beiden gerade jetzt so giftig geworden – Sie nannten vorhin Lenka?«, unterbrach Andreas zum ersten Mal die Erzählung.

»Ich will Ihnen nur sinngemäß, exklusiv und ganz unter uns das wiedergeben, was Klaas Bruns nach langem Gespräch mit Ritchie gesagt hat: ›Die Schönheit Lenkas – ich will sie ganz haben, sonst vergeude ich weiterhin mein Leben. Und wenn nicht, kann ich auch im Gefängnis zugrunde gehen. Alles ist besser als dieses verfluchte Hotel, dieser Albtraum Dünenburg und meine blondierte, durchgestylte, eiskellerkalte Gattin.‹ Ganz leise und dunkel sei seine sonst eher durchdringende und helle Stimme geworden. Der meinte es wohl ernst. Tja, unser Klaas Bruns will ein radikal neues Leben, weg von Frau, Hotel und Baltrum. Das war's.«

Andreas erschien es unglaublich, aber dieser Bruns liebte anscheinend Lenka Kowalski wirklich. Das hätte er ihm nie zugetraut. Indirekt erschütterte diese Offenbarung auch seine Überzeugung, dass Klaas ohne Weiteres Hartmut eiskalt ermordet haben könnte. Sympathischer war ihm der Hotelier dadurch nicht geworden – der zog eben immer das durch, was er wollte. Aber in diesem Fall hatte er ein klares und gerade Andreas vollkommen einleuchtendes Motiv. Ein unangenehmes Gefühl, trotz anhaltender intensiver Antipathie, sich in dem anderen wiederzufinden. Er verstand Klaas Bruns nun besser, ja partiell so gut, dass er seine Einfühlung als fast aufdringlich empfand.

Nach dem erleichternden, gleichwohl unbefriedigenden Gespräch mit seinem Käpt'n Silver verspürte Andreas plötzlich starken Appetit. Ihm fiel ein, dass er seit dem Frühstück nichts Handfestes zu sich genommen hatte. Es zog ihn in ein Lokal, wo er nicht auf bekannte Gesichter, aber bekannte dampfende Gerichte treffen würde. Der Käpt'n hatte ihm etwas spöttisch den Gasthof »Schimmelreiter« empfohlen, dessen Neo-Butzenscheibentür Andreas nun öffnete.

Er hätte das Lokal am liebsten kurz »Schimmel« tituliert, als er die ins Halbdunkle getauchte altdeutsche Gästeschar um sich herum gemustert hatte, so viel Blaugrau war in Gesichtern und Kleidung. Dazu gesellte sich dieser feine modrigdumpfe Grundduft – wie in einer Champignonzucht, dachte Andreas. Mutig orderte er dennoch ein Pfeffersteak plus Pils, weil es ihm von Käpt'n Silver, diesem Inselkritiker und -kenner, empfohlen worden war. »Der Wirt ist zwar mindestens ein Kryptofaschist, das Lokal bevorzugter Treffpunkt aller touristischen Dumpfmeister, aber die Küche ist vorzüglich, wenn man auf gebratenes Fleisch abfährt. Tja, Fleisch muss man eben können!«, hatte Käpt'n Silver grinsend verkündet und mit seiner rauchenden Tabakspfeife an sein künstliches Bein gepocht.

So ab vierzig aufwärts beziehungsweise abwärts – je nachdem, ob's in den Himmel oder einfach in die Grube geht –, trug Mann wie Weib hier Tristkitt, Steingrau oder Schlicktrüb. Andreas' rot-schwarze Wetterjacke allein prickte dagegen anscheinend bereits rebellisch in die Augen der Touristenhammel – so wie die ihn immer wieder anplierten.

Am Tisch vor ihm hockte immerhin ein knittriger Gast, Pfefferschinken kauend, ein Mann, den er gern gefragt hätte, ob er der Vater von Karl Dall sei. In der Sitzgruppe hinter ihm rief ein Knäblein von etwa fünf Jahren vollmundig: »Pappa!«, und zwar so, dass Andreas an »Grappa« dachte und ins Überlegen geriet, wie es denn mit einer Erzählung wäre, in der ein Vater immer bloß »Grappa« genannt würde.

In ungefähr sechs Meter Abstand von seinem Beobachtungsposten nahm ein Familienquartett Platz: Eltern mit ihrer heranreifenden Tochter und einem kleinen Sohn. Der Kellner schaltete ein Wandlicht hinter der Vierergruppe ein. Verstohlen betrachtete Andreas den Kleinen und seine Mutter genauer. Das wunderschöne Augenpaar hatte der Knabe von seiner Mutter, aber seins war noch liebreizender – Andreas gestattet sich stumm dieses altmodisch vielsagende Eigenschaftswort. Das helle Gesicht leuchtete, und wenn er lachte – er lachte momentan gern –, war er einfach küssenswert. Andreas war irritiert und konnte seinen Blick einfach nicht von diesem anmutigen Jungen lösen. Von dessen dunklen, weichen Augen, die er unter sehr langen Wimpern oft gesenkt hielt, um sie dann blitzartig aufzuschlagen und dem Betrachter einen kleinen, verzückten Schrecken einzujagen. Andreas würde der Mutter am liebsten sagen, dass sie einen ausnehmend schönen Sohn habe. Dank eines Rests Klugheit, der seine Faszination kontrollierte, unterließ er es.

Immer wieder blieb er an starken Eindrücken hängen, die aber mit bereits vertrauten Motiven derart verhäkelt waren, dass er seiner unmittelbaren Begeisterung misstraute. Vorgestern die Ellen-Analyse-Ekstase, gestern seine Mordspekulation, heute das fleischgewordene Ideal eines bezaubernden Knaben, schön wie Mozarts Musik. So war das mit all diesen Arten von Unwiderstehlichkeit, man wurde aus eingeschliffenen Bahnen geworfen und verheddert sich.

Satt und fast mit sich im Reinen schlenderte er am dämmerigen Strandufer entlang. Das Pfeffersteak war wirklich schmackhaft und großzügig bemessen gewesen, ein guter Tipp. Gleichmäßig rauschte das dunkle Wasser heran, nur vereinzelt waren Vogelschreie zu hören, der Wind war abgeflaut. Andreas schlurfte durch den Sand. Er konnte gar nicht genau sagen, warum er gerade jetzt für sich eine kleine Chronologie der Dienstagnacht bastelte. Sollte etwas nicht stimmen – oder war das bloß ein noch zu ordnender Stoff für eine Kriminalerzählung? Immerhin hatte sich die Rekonstruktion des Ablaufs mit jeder Wissensergänzung stark verändert. Seine »Täter-Hypothese« etwa war bestätigt worden, seine Mordtheorie dagegen schien vom Tisch zu sein. Also, wie war das noch: Klaas und Hartmut verabredeten sich diskret für einundzwanzig Uhr am Swienedrank. Klaas wurde vom Privatboot eines Bekannten mitgenommen, der ihn nachmittags im Hafen von Norderney absetzte. Ab siebzehn Uhr nahm dieser Bruns verabredungsgemäß am Treffen einiger Hoteliers und Inselgastronomen im Hotel »Utkiek« teil. Um zwanzig Uhr verließ er das Hotel mit Handtuch und Badehose in einem Beutel, ging zum Strand, traf dort gegen 20 Uhr 20 eine Zeugin. Mit dem schnellen Fahrrad gelangte er zügig zur Ostküste, ging bei Dunkelheit wahrscheinlich hinter der hohen Düne ungesehen ins Wasser, schwamm zur Westküste Baltrums hinüber und kam circa 20 Uhr 50 dort an. Er lief zur Kaapdüne hoch, zu seinem Depot im Wacholderbusch, zog sich aus, trocknete sich ab, zog sich das Sportzeug an und joggte zum Kiefernwäldchen. Rad fahren, Schwimmen, Laufen – ein perfekter Triathlon. Aber weiter: Der Schrei so gegen einundzwanzig Uhr hatte damit nichts zu tun, der kam bekanntlich von diesem Inseloriginal, das halb aus Spaß, halb aus hilfloser Verrücktheit ab und zu für insulare Gruseleffekte sorgte. Gut, so weit klar. Um 21 Uhr 5 kam Bruns am verabredeten Ort an, traf Schwartenberg am Rand des Swienedranks. Nach allem, was Andreas jetzt wusste, könnten sich das Wortgefecht und seine Folgen etwa so abgespielt haben:

»Schwartenberg, lass einfach die Finger von Lenka. Alles andere interessiert mich nicht. Auch nicht, was du mit deiner traurigen Seminargruppe in meinem Hotel machst oder mit anderen Frauen hier.«

»Das geht dich gar nichts an, Klaas. Lenka ist nicht deine Leibeigene. Mit Lenka werde ich mich genauso weit einlassen, wie sie und ich es wollen.«

»Ich werde dir Hausverbot erteilen und dafür sorgen, dass du nie wieder auf dieser Insel eine Unterkunft kriegst.«

»Du bist ja größenwahnsinnig, Klaas. Nur weil du mit deiner Gattin nicht mehr klarkommst, willst du mir dein unterbezahltes Personal vorenthalten. Vielleicht möchtest du, dass ich mit deinem gestylten Eheweib was anfange, damit du bei Lenka freie Bahn hast, wie?«

»Noch ein Wort, und ich mach dich so fertig, wie du es dir nicht einmal vorstellen kannst, Schwartenberg.«

»Du mich? Pass mal auf, Klaas, dass du hier mit heilen Knochen wieder wegkommst, du notgeiler Inseldespot.«

»Bis morgen früh um zehn hast du dein Zimmer geräumt und ab dann lebenslängliches Hausverbot. Dein Seminar ist vorbei, Schwartenberg. An deinen Bildungsverein werde ich ein entsprechendes Schreiben schicken. Und jetzt verschwinde, du Schwein!«

»Was sagst du, was soll ich? Ich werde dir jetzt die Fresse polieren, du irrer Herbergsvater!«

Hartmut ging auf ihn los, Klaas stieß ihn beidhändig zurück, Hartmut rutschte nach hinten weg, klatschte ins Wasser, ein Aststumpf bohrte sich ihm unglücklich in den Nacken, er brach sich das Genick und war nach Sekunden tot, ziemlich genau um 21 Uhr 15.

Klaas war vermutlich fassungslos, als er Hartmut offensichtlich tot vor sich liegen sah – es könnte ja wie vorsätzlicher Mord wirken. Er verließ flugs den Unglücksort, kraulte zurück, legte in Norderney seine bei der hohen Düne deponierte Kleidung an, radelte los und tauchte kurz nach zweiundzwanzig Uhr im Hotel auf – da war ich gerade am Swienedrank vorbeigekommen. Während ich mich gegen zweiundzwanzig Uhr am dunklen Teichufer ein bisschen reinigte, lag von mir unbemerkt ein Toter im Tümpel. Und als ich eingesaut im »Strandcafé« eintrudelte, saß ein nasshaariger Naturbursche – es regnete ja – namens Klaas Bruns in der Hotelbar »Utkiek«, machte auf harmlos und ruhte sich von der Strapaze aus.

Das wäre eine dramatische, aber auch deliktarme Erklärung für den ultimativen Knacks im Leben des Hartmut Schwartenberg. Hörte sich doch alles sehr stimmig, wenn auch literarisch unbefriedigend an. Aber vielleicht hatte Klaas Bruns seinen Widersacher doch so gekonnt und kalt erledigt, dass es in der Tat keinerlei Hinweis auf einen Mord geben konnte. Ein perfekter Mord also – oder bloß ein projizierter perfekter Mord? Mal weitersehen!

Wie unter Wiederholungszwang stehend, waren in dieser Nacht Andreas Linden und Erika Elzner wieder die letzten Gäste im »Café Seestern«. Andreas erzählte Erika, was er wusste. Sie wirkte trotz trauriger Stimme zunehmend erleichtert wegen seines Berichts. Als Andreas sie fragte, was sie vom Donjuanismus des Verblichenen wisse, antwortete sie genauer, als er es sich erhofft hatte. Andreas wurde sich bewusst, dass er das Vertrauen Erikas schon wieder ein wenig ausnutzte – wofür genau, wusste er allerdings noch nicht. Was Erika nun ausführlich nach der offiziell letzten Bestellung im »Café Seestern« erzählte, ging interessanterweise weit über die kompakten Beziehungsinformationen Käpt'n Silvers hinaus. Die Verbindungen der beteiligten Personen untereinander waren enger, weitreichender und viel fieser, als er gedacht hatte.

Hartmut Schwartenberg war in der Tat so etwas wie ein amoralischer Frauenheld gewesen. »Der Hammer« – so Erika – sei seine vorletzte, seine unverfrorene Annäherung an Anke Gogel-Bruns, die durchgestylte Ehefrau des Hotelpaschas, gewesen. Die groß gewachsene, weiß blondierte Anke Gogel habe einst unter dem Namen Tanja als Model und manchmal auch etwas intimer gearbeitet. Damit habe sie ihr Studium der Psychologie finanziert, selbiges aber kurz vor dem Diplom abgebrochen, da sie Klaas kennengelernt und von ihm ein Kind empfangen habe. Obwohl nach der Geburt einer Tochter äußerlich unversehrt und im modischen Sinne sehr ansehnlich geblieben, habe sie nicht mehr modeln, sondern als Ehefrau und Hotelchefin wirken wollen. Klaas sei einverstanden gewesen. Erika lachte kurz auf, trank einen langen Schluck und erzählte weiter: »Sein Hotel hatte er im Griff, Anke nicht. Als die zweite Tochter zur Welt gekommen war, hatten Anke und Klaas anscheinend ihr sexuelles Verhältnis beendet. Nun kam Lenka, die neue Bedienung, ins Spiel. Klaas, der gegenüber seinem weiblichen Personal gewöhnlich höflich und zurückhaltend war, hatte sich anscheinend sofort in Lenka verliebt. Aber – er war mit ihr oder sie mit ihm nicht ins Bett gestiegen.

Nach einigen Wochen unterbreitete Klaas seiner Gattin Anke einen kühnen Vorschlag, den sie seiner Erwartung gemäß auch ruhig und kühl anhörte: Er habe sich in Lenka verliebt. Anke möge ihm ein Wochenende weit weg von Baltrum mit Lenka gönnen, um es einmal auszuleben, auszutoben, ohne dass es die Insel erfährt. Dann würde er Lenka entlassen, sie mit einem großzügigen Betrag versehen und an einen Hotelkollegen in Emden weiterempfehlen.

Er brauche diese ›Katharsis‹ – wie er sich ausdrückte – unbedingt, sie als Frau vom Fach müsse das doch verstehen und als eingestandenermaßen erkaltete Liebhaberin sowieso. Bisher habe er nie etwas mit einer Frau aus seinem Betrieb angefangen, nie! Aber Lenka wolle er einmal, eben nur zwei Nächte und zwei Tage ganz für sich und in jeder Beziehung haben. Anke war einverstanden, zwar glaubte sie bestimmt nicht an die reinigende Wirkung dieses Exzess-Weekends, doch sie sah es wohl als einen Trumpf in ihrer Hand an. – So hatte es Anke später Hartmut erzählt und er dann mir.

Klar, das Agreement des Ehepaares funktionierte natürlich nicht – Lenka verliebte sich in Klaas, er sich mit Haut und Haar in sie. Lenka blieb in der ›Dünenburg‹, Anke zog sich ganz aus dem Hotelbetrieb zurück, kümmerte sich bloß noch um die Kinder, begann zu aquarellieren und machte mit zwei anderen Inselfrauen eine Ateliergemeinschaft auf. Aber Anke lauerte. Als Hartmut Schwartenberg, den sie von vielen Bildungsurlauben her kannte, sich ihr eines Abends hier im ›Café

Seestern‹ näherte und sie beide leicht angetrunken, aber noch kontrolliert, über Klaas lästerten, hatte sie anscheinend den Einfall gehabt, Hartmut gründlich gegen Klaas auszuspielen.

Hartmut, der auch aus kalter Verzweiflung über seine ökonomische Existenz als Honorarkraft und seine deprimierenden Lebensumstände die Nähe von Frauen suchte, hatte sich an sie herangemacht. Sie war nicht allzusehr interessiert an Hartmut, ließ sich aber aus Kalkül mit ihm ein. Er bekam von ihr halbwahre Schauergeschichten über ihren Klaas zu hören, und sie deutete an, dass ihrem Gatten mal ordentlich das Leder gegerbt gehöre. Sie hatte Hartmut als kräftigen Kerl kennengelernt, ihm das in nicht bloß geheuchelter Bewunderung auch mehrfach zu verstehen gegeben. Sie war sehr daran interessiert, dass Hartmut und Klaas physisch aufeinander losrasselten, wenn möglich in der Öffentlichkeit.

Der Skandal würde sie von beiden befreien, vor allem aber von ihrem – dann für alle ersichtlich – gewalttätigen Gemahl. Wenn einem von beiden etwas Ernstliches zustieße, auch gut, umso klarer die Trennung von Klaas. Die Situation musste also aufgeheizt werden, und Anke tat das mit vollem körperlichem Einsatz, wann immer es möglich war. Sie gab die allzeit liebeshungrige, vernachlässigte und seelisch misshandelte Ehefrau, Hartmut merkte das zwar, genoss es aber trotzdem.

Auf einen toten Klaas und sich selbst als Erbin konnte Anke nicht ernsthaft hoffen, denn sie musste wissen, dass Hartmut in einer direkten Konfrontation auf Leben und Tod keine Chance gegen Klaas haben würde. Selbstverständlich signalisierte sie Hartmut – der sich Männern gegenüber, besonders unter Alkohol, für einen Mordsbrecher hielt – genau das Gegenteil. Was sie aber nicht ahnte, war, dass Hartmut bereits klammheimlich auch hinter Lenka herstieg, Klaas das mitbekommen und Hartmut bereits gedroht hatte. Ich war einmal dabei gewesen, wie sich Klaas und Hartmut unterhielten, das war so was von hart.«

Andreas konnte sich das sehr gut vorstellen und dachte zufrieden daran, dass er das ja bereits in seinem Kopf dialogisiert hatte. Erika und Andreas schlürften ihre Gläser leer. Als er mit schwerer Zunge nachfragte, woher sie das alles nehme, was sie da gerade ausgebreitet habe, staunte er. Erika war seit Jahren die engste Vertraute Hartmuts. Der hatte sie einmal vor einem Vergewaltigungsversuch zweier besoffener Inseltouristen gerettet. Und Hartmut hatte ihr später einmal ganz nüchtern gestanden, dass er wohl krank im Kopf sei, jedenfalls sei er irgendwie zwanghaft auf sexuelle Abenteuer aus, er könne nicht anders. Er sei von sich komplett angeekelt, er habe geheult und von Selbstmord gesprochen.

Trotz sechs Glas Pils war Andreas fassungslos – von all dem hatte er keine Vorstellung gehabt. Ein überraschender Tod hatte diese düster-grotesken Verknüpfungen bloßgelegt. Was waren da seine Weglauf- und Ellen-Probleme, was taugte eigentlich seine Wahrnehmung?

> It's time to travel; it's time to go,
> It's time to bag, my little darling,
> We gonna find another world.
> O, can't you see, you belong to me.
> It's time to travel, it's time to go.

Andreas ließ die Strophe aus dem Kustorica-Film stumm durch sein Hirn gleiten und summte leise ihre Melodie. Da bin ich nun wieder auf einem Schiff, einer Fähre zum Festland, die fantasieprall »Baltrum« getauft worden ist. Von vorn kam leichter Wind und das stampfende Rauschen des durchs Wasser schneidenden Bugs. Backbord, über dem Festland, lagerte, ja lauerte ein riesiges schieferfarbenes Massiv. Auch bei ansonsten generell mieser Wetterlage gab es auf dieser Insel sonnige Oasen, die zwischen der reichen Morphologie der Himmelskolosse hervorzwinkerten. Andreas wandte seinen Kopf und schaute diagonal über das Deck nach vorn. Langsam, in einem durch das Fahrwasser bestimmten großen Bogen kamen die Sandbänke und der Oststrand von Norderney näher.

Hier, an diesem Saum mit der großen Düne, musste Klaas Bruns seinen feucht-tragischen Baltrumbesuch gestartet haben. Den hiesigen Seehund, den wir bald passieren werden, verschlägt es eh nicht. Hmm – was dieser Satz bedeutet? – Andreas konnte es nicht deuten, dennoch gefiel er ihm. Der Seehund in seinen zahlreichen Erscheinungsformen, dieser habituell kriecherische, zumeist dösende Feuchtsaumbewohner, würde gleich von der »Baltrum«, dieser Zuchtperle der christlichen Seefahrt, aufs Prächtigste zu betrachten sein, wenn sie die Sandkante der westlichen Nachbarinsel Norderney fast tangierte.

Und so was wird von den offiziell immer noch arbeitsgeilen Deutschen bewundert, angebetet: Seehunde, räuberisch und meistens faul auf fetten Bäuchen herumlungernd. Hatte sich darin schon vor längerer Zeit ein Wertewandel gezeigt? – Ach, soll doch dieses Pack machen, was es will und es meinethalben genießen. Prost! Andreas setzte sein silbriges Taschenfläschchen mit der Notration Bushmills an und legte den Kopf in den Nacken. Ein Schluck, kein Kelch, kein Becher bis zur Neige!

Andreas begab sich von Backbord zum Heckaufbau der Fähre. Ratlos starrte er vom hinteren Ende der »Baltrum« nach Baltrum zum wegdriftenden Inselhafen und dann mit langem Hals in das von der Schraube gequirlte Wasser und stellte sich vor, wie es damals plötzlich unter Schreien hellrot aufgeschäumt wurde.

Oder hatte Käpt'n Silver das Bein noch ganz anders verloren, anders als er es ebenso knapp wie unsentimental geschildert hatte? Hatte er noch ganz andere als die skizzierten Drähte zu Klaas Bruns, »Ritchie« Schrader und Hartmut Schwartenberg? Und war es vielleicht gerade nicht September und er, Andreas, auf See? Ein Haufen blöder Fragen! Anscheinend lechzte diese gerade erlebte, irgendwie pointenlose reale Kriminalgeschichte nach Gestaltung. Und wie war noch mal diese Gruselgeschichte mit dem Matrosen am Heiligen Abend wirklich gelaufen? Plötzlich fiel Andreas ein, was er jetzt tun durfte.

Er fasste in das Seitenfach seiner Reisetasche und entnahm ihr das kleine, dünne Buch »Baltrumer Dönekes und Historien«, geschrieben von einem gewissen Okko Bruns. Er schlug den leicht verblichenen Pappeinband auf, blätterte und blieb beim Inhaltsverzeichnis hängen. Der Titel »Mord in der Weihnachtsnacht« elektrisierte ihn. Er schlug die betreffende Seite auf, las sie mehr diagonal als genau. Nanu, das war in etwa die erste Erzählung des Käpt'ns über den vermissten jungen Baltrumer Seemann – aber da musste doch noch mehr sein! Andreas blätterte wieder nach vorn, noch vor das Inhaltsverzeichnis, und las das Impressum.

Das Büchlein war zuerst 1940 in einem Heimatverlag erschienen und 1972 als Faksimile wieder in den Inselbuchhandel gebracht worden. Unten auf dem Schmutztitel stand in schöner blauer Laufschrift nichts als:

»Für Andreas L.
Der Matrose hieß Schrader,
der Verschwundene Steven.
Ihr Hagen S.«

Andreas schüttelte verblüfft den Kopf, schloss das Büchlein, dachte kurz nach und öffnete es wieder.

Wieso war sich eigentlich Hauptkommissar Schrader so sicher, dass der Tod von Schwartenberg ein Unfall gewesen war? Hatte das irgendetwas damit zu tun, dass ein Bruns zum Hauptverdächtigen geworden war? Ein gewisser Okko Bruns hatte schließlich 1940 diese Erzählung publiziert, in der Schrader senior – wenn auch ohne Namensnennung – quasi als Heiligabend-Raubmörder hingestellt wurde. Bei der Größe der Insel musste das ein enger Verwandter von Klaas Bruns gewesen sein. Und der frühe Tod des kränkelnden Vaters von »Ritchie« hatte sicherlich etwas mit dessen ungerechter Verurteilung und zermürbenden Haft zu tun gehabt. Aber da läge doch traditionell eigentlich eher Rache an einem Bruns nahe, nicht Verschonen.

So komme ich nicht weiter, sagte sich Andreas. Käpt'n Silver, als Hagen Steven vermutlich der Neffe des umgekommenen Baltrumer Seemanns, hatte ihm mit seiner Widmung einige Fragen beantwortet und doch auch neue Rätsel aufgegeben. Das Baltrumer Netz war komplex geknüpft. Ein Knotenpunkt, besser: *sein* Knotenpunkt war der Tod des Seminarleiters Hartmut Schwartenberg, nur darüber weiß er Bestimmtes.

Doch wieso war sich Hauptkommissar Schrader so sicher, dass es ein Unfall gewesen war?, fragte sich Andreas zum wiederholten Mal. So viel akribische Planung für Klaas Bruns' Meeting mit Hartmut Schwartenberg, und dann kam diese Kette passender Zu- und Umfälle, elegant mit der Eliminierung eines Nebenbuhlers abgeschlossen. Wenn es doch ein kalter, technisch perfekter Mord gewesen war? Nichts sprach zwingend dagegen, gar nichts. Den künftigen Tatort hatte Bruns oft gesehen, ihn wahrscheinlich noch einmal bei Tageslicht genau besichtigt und sich exakt die Lage des Baumstamms unterm Wasserspiegel eingeprägt.

Dass Bruns den Silberbecher nach dem Tod Schwartenbergs in seinen Tresor gestellt hatte, zeigte doch, dass er seine Fähigkeiten gegenüber einer kriminalpolizeilichen Untersuchung verheimlichen wollte. Und »Fähigkeiten« hieß für einen solchen Marinespezialisten nicht bloß, vorzüglich zu schwimmen, das hieß auch, lautlos und notfalls mit bloßen Händen töten zu können. Der Mord selbst wäre dann so simpel abgelaufen: Klaas kam lautlos von hinten, und ehe sich der arglose Hartmut umdrehen konnte, wurde er schon tödlich im Halswirbelbereich getroffen.

Keine Ahnung, womit ihm Klaas in diesem angenommenen Ablauf das Genick gebrochen hatte. Vielleicht mit einem Knüppel, den er dann später auf dem Rückweg nach Norderney ins Meer warf, vielleicht sogar mit der Handkante, die ja daktyloskopisch nicht auszumachen ist. Jedenfalls brachte Klaas Bruns ihn wie gelernt in einer blitzartigen Aktion um. Und dann legte er Hartmut Schwartenberg so auf den Stamm, dass dessen Hals an der Sollbruchstelle genau auf den Aststumpf drückt. Ob das ein Gerichtsmediziner noch auseinanderhalten konnte: Druckstelle und innerer Bruch, wenn das zeitlich so eng beieinander liegt, also in weniger als einer Minute? Nicht anzunehmen, besonders wenn eine solche geringe Differenz nicht systematisch gesucht wurde. Irgendwelche Faserspuren oder andere minimale Hinweise an Schwartenberg, die mit Bruns in Verbindung zu bringen wären, bewiesen nichts, da Bruns den attackierenden Nebenbuhler ja zurückgestoßen haben wollte. Allerdings müsste der Hieb auf die Halswirbelsäule mit größter Perfektion ausgeführt worden sein – keine Kleinigkeit, aber es geht.

Andreas hatte in späten Jugendjahren selbst Karate trainiert. Das alles sah in Filmen und Lehrbüchern viel simpler und effektiver aus als in der komplizierten Realität. Geschwollene Handgelenke und Blutergüsse an den Gelenken des kleinen Fingers, wenn beim Bruchtest die zu spaltenden Bretter zu dick oder ein zu hart gebrannter Dachziegel partout nicht nachgeben wollte, dazu das monotone Training, hatten Andreas schließlich von seiner mangelnden Eignung zum Kampfsportler überzeugt. Aber Klaas Bruns schien nicht nur von anderem Kaliber zu sein, sondern hatte sich einschlägig bewährt. Woher wusste der zum Beispiel, wie ein Toter aussah?

Und das Taschentuch war entweder wirklich aus Paddeligkeit nahe des Tümpels weggeworfen worden – gleichgültig ob es ein Mord oder ein Unfall gewesen war. Oder es konnte auch bewusst von Bruns platziert worden sein, um einen kalt geplanten Mord als abwegig erscheinen zu lassen – als Versicherung, falls er wider Erwarten verdächtigt werden würde. Ohne meinen Einfall, dass Bruns nachts heimlich von der Nachbarinsel herübergeschwommen sein müsse, wäre das Salzwasser im Taschentuch zwar rätselhaft, aber kein zwingender Hinweis auf den Hotelier gewesen. So gesehen, sagte sich

Andreas beinahe zufrieden, war seine Aufmerksamkeit dem Kampfschwimmer-Silberbecher und dessen Verschwinden gegenüber inklusive seiner daraus gefolgerten Täterhypothese schon sehr aussagekräftig. Dass ein altgedienter Hauptkommissar das herunterspielte, konnte Andreas schon verstehen, auch wenn er sich eine anerkennende Bemerkung gewünscht hätte.

Als Hobbydetektiv war er eingestandenermaßen dennoch nicht besonders gut geeignet. Dafür entging ihm zu viel, dafür beobachtete er nicht kühl genug, dafür bewertete er seine Erfahrungen meistens zu früh und zu heftig. Ein bisschen zu wissen, vorstellen und kombinieren zu können reichte für präzise Detektivarbeit eben nicht aus. Außerdem – war ein Detektiv nicht letztlich eine identifikatorische Kitschfigur für brodelnde Pubertät, eine mediale Mixtur von Souverän, Moralist und Märtyrer? Sollte er der Polizei seine neue Tätervariante eindringlich nahebringen – ohne Beweise, dafür mit dem Ruch eines zwanghaften Rächers an Klaas Bruns, nur weil der ihn mal komisch behandelt und gegen besseres Wissen verdächtigt hatte? Das würde nicht gut gehen, das würde nur ihn, Andreas, in die Bredouille bringen.

Andreas beschloss, seine Überlegungen und Spekulationen erst einmal beiseite zu schieben und vor allem die Kripo mit diesem Wust zu verschonen. Ich habe nichts in der Hand und zu wenig im Kopf, sagte sich Andreas mit selbstironischem Grinsen. Aber was ich im Kopf habe, das sollte ich allerdings sauber ausbauen. Scheiß auf die elende Wirklichkeit!

Er schüttelte wieder grinsend den Kopf und packte das Druckwerk sorgfältig wieder in die Seitentasche. Käpt'n Silver hatte ihm dieses Baltrum-Elaborat mit seiner Visitenkarte einschließlich E-Mail-Adresse gegeben. Auf seinem blau beschrifteten Kärtchen stand »Schriftsteller« – aber was er nun genau arbeitete und schrieb, das hatte er Andreas bis zuletzt nicht mitgeteilt. Aber der Käpt'n schlug vor, dass sie in Kontakt bleiben sollten. Zeit sich auszutauschen bleibe ja weiterhin, was so spannend angelaufen sei, könne noch sehr interessant werden.

Was »Baltrumer Dönekes und Historien« betreffe, so möge er das doch bitte erst nach seiner Abreise von der Insel lesen. Andreas hatte ihm das versprochen. Nach einer freundlichen Verabschiedung im »Café Wellenbrecher« war Andreas zum letzten Mal zur »Dünenburg« zurückgegangen. Alle anderen Bildungsurlaubenden hatten schon die Neun-Uhr-Fähre genommen, Hauptkommissar Richard Schrader war am Vorabend zurückgeschippert und vom Hotelpersonal einschließlich ihres Chefs war morgens nichts zu sehen gewesen. Also allein aufs Schiff, allein in die Eisenbahn, Abstände schaffen.

Spärlich besetzt rollte der Regionalzug durch das feuchtgrüne Flachland. Andreas döste vor sich hin, Inselbilder und Satzfetzen trieben übereinander. Die Schiebetür öffnete sich, und Lenka betrat das Abteil. »Sie leuchtet herein«, schoss es Andreas durch den Kopf. Lenka stutzte ebenso wie er. Während Andreas versuchte, ein freundliches, einladendes, aber zurückhaltendes Lächeln zu produzieren, raunte es in ihm: »Sie ist wirklich einschüchternd schön. Verflixt, bin ich schon wieder dabei, eine Frau anzuhimmeln?« Lenka setzte sich vorsichtig ihm gegenüber und fragte, ob sie störe. Andreas verneinte so gefasst wie möglich und fragte höflich nach ihrem Reiseweg. Lenka schaute ihn an und sprach ganz freundlich mit ihm.

Auf der Fähre zum Festland hatten sie sich beide deswegen nicht bemerkt, weil sie unter Deck geblieben war. Einmal mehr war Andreas beeindruckt von ihrer klaren, deutlichen Aussprache und sagte ihr das auch. Ihre Mutter sei Opernsängerin in Krakow gewesen, habe viele deutschsprachige Partien gesungen. Sie selbst studiere auch Gesang, aber bloß im Nebenfach. Ihre ganze Liebe gehöre der Violine, betonte sie. Der Sprache, besser dem Gesprochenen, misstraue sie zutiefst. Sie lachte leise auf, wurde aber sofort wieder ernst und fragte Andreas nach seiner Arbeit. Er wurde rot und entgegnete knapp: »Schriftsteller.« Lenka lächelte wieder und sagte: »Oh, Entschuldigung. Bis gestern waren Sie auch noch Hauptverdächtiger, nicht wahr?«

Andreas wurde ein wenig mulmig zumute – ob sie ihn gleich als den Ankläger Klaas Bruns' anfeinden wird? Sie machte nicht einmal eine Andeutung davon, teilte ihm nur mit, dass sie zu ihrer neuen Stelle nach Aurich unterwegs sei, sie brauche dringend Luftveränderung. Zwei Stationen später stieg sie aus. Andreas wünschte ihr so freundlich er konnte alles Gute. Dann war sie weg, wohl für immer.

Andreas wurde schmerzlich bewusst, in welchem Gefühls-, Liebes- und Intrigensalat ohne ganz klare Täter und klare Opfer er immer noch herummanschte – selbst Hartmuts finaler Umfall soll nur ein besonders dummer Unfall gewesen sein. Alles Kriminelle war demnach zerplatzt wie eine Wellenschaumblase. Hinter ihm lag ansonsten ein meist lautloses, unsichtbares Gemenge und Gewusel, wie es in einem unscheinbaren Kubikmeter Wattboden erst bei dessen Zerlegung wahrnehmbar wurde. Andreas Linden war etwas enttäuscht, zugleich aber tief erschrocken, als ihm auch klar wurde, wie leicht man auf dieser scheinbar reizarmen Insel zu Tode kommen konnte. Was hatte er in jener Nacht im Ostheller für ein Glück gehabt! Er sah sich für einen Moment selbst dornenzerstochen mit abgeknicktem Hals in einem der schwärzlichen Wasserlöcher liegen. Oh, Kraft der Imagination, du Schwester der Feigheit! – Andreas' Laune besserte sich langsam wieder.

Immerhin könnte der Swienedrank eventuell nun mit »Schwartenbergs Ufer« oder niederdeutsch als »Hartmuts Boom« namentlich ergänzt, geschmückt und touristisch aktiviert werden. Dazu käme neuer Legendenstoff zum Heiligabend-Matrosen und zu »Böllers Point«. Baltrum, die Unfallinsel, Abenteuer bis zum Totenschein, the »Lethal Island« gar? Wahrscheinlich sehr schlechte Epitheta – obwohl auch das gar nicht so sicher war. Besserer Beiname für Baltrum wäre – ja was? Durch drei merkwürdige Tote war diese Insel gezeichnet: durch den versehentlich ertrunkenen Seemann, den zu tief gesprungenen Politiker, den angeblich blödsinnig verunglückten Seminarleiter – und anscheinend war kein Mord dabei. Alles waren letztlich unbefriedigende Geschichten.

Ganz wach geworden holte er sein schwarzes Notizbuch hervor, das nun kein Beweismaterial mehr war, sondern wieder Erinnerungs- und Spekulationsspeicher. Er nahm den schwarzen Kuli zur Hand und wollte gerade die letzte beschriebene Seite aufschlagen, als sich zum zweiten Mal die Abteiltür öffnete: »Fahrausweiskontrolle!« Andreas hielt seinen Fahrschein hin, der Kontrolleur schüttelte den Kopf und sagte: »Da sind Sie aber auf dem falschen Dampfer. Sie haben eine Karte für einen Regionalexpress, befinden sich aber im Interregio.« Der freundliche Schaffner räumte ihm die Entscheidung ein, baldmöglichst umzusteigen oder nachzuzahlen. Andreas, der jetzt keinesfalls aus der Bahn geworfen werden wollte, stöhnte, zahlte nach, der Bahnbedienstete ging weiter. Auf dem falschen Dampfer – das Gefühl hatte er schon länger. Ob Reisen wirklich bildet? Er wusste es nicht, aber zumindest machte es scheinbar klüger, oh ja! Scheinbar, denn die Differenz zwischen Interregio und Regionalexpress wird in einigen Jahren totes Wissen und für die meisten ein Rätsel geworden sein.

Katja Kiebitz war auch ein Rätsel, aber vielleicht eines mit Zukunft. Er erinnerte sich einer schönen Sequenz vor seinem Bildungsurlaub auf Baltrum. Er sah Katja, groß, rothaarig, stolz und witzig, Ringelstrümpfe unterm Minirock auf wie endlos langen Beinen weit vor ihm die ebenfalls sehr lange Limmerstraße seines bröckelnden Stadtteils Linden durchschreiten. Andreas freute sich plötzlich auf Katja, obwohl sie ganz anders war als Ellen. Er schüttelte trotzig den Kopf: Nicht *obwohl*, eben *weil* sie anders ist, du Mehrfachtrottel!

O, can't you see, you belong to me.
It's time to travel, it's time to go.

Andreas betete lautlos nach: Katja ist eine Kurzform von Katharina, griechisch katharós, das heißt rein. – Na ja, ob sie »rein« ist – was immer das heißen soll –, das bedeutet mir rein gar nichts. Was zu ihr passt, das ist Katharina die Große, das stimmt, das sieht man, das merkt man. Und welche schönen Kosenamen der Mund für sie formen könnte: Katjana, Katjuscha, Katjuschka, Katinka, Katrischa, Kitti – anbetungswürdig. Out wären künftig kosende: Käte, Katel, Kati, Catalina und Katrin; Rina, Trine und Ina. Ob Katja eine Widerspenstige ist? Wenn ja, will er sie keinesfalls zähmen wollen. So viele Fragen und bloß eine Antwort: Katja! – cut? – ja! Endlich einen Schnitt machen mit all den Helenas. Ja, Katja, ja! Nun nicht mehr nachbeten, nicht mehr nur anbeten. »Black Cat White Cat«, das passte hier jetzt wie sonst nichts.

> Time to depart, so hit the road.
> Take your tooth-brush, little darling,
> Take your luggage and your whole.
> O, can't you see, you belong to me.
> It's time to travel, it's time to go. – Time!
>
> All we need is a long vehicle,
> A long vehicle, a long vehicle,
> All we need is a long vehicle,
> A long vehicle, a long vehicle
> To go.

Da er allein im Abteil war, sang Andreas laut flüsternd den Refrain. Er griff zur Wasserflasche und hielt inne. Wie bloß könnte dieser Baltrum-Krimi heißen, den er in Hannover schreiben wird? Baltrumer Turbulenzen, Huld und Düne, Inselbildung, Inseln bilden, Inselballung, Inselschlüsse, Baltrumer Balgen? Fröhlich öffnete er sein schwarzes Notizbuch, las noch einmal den Satz, den er am Dienstag hineingeschrieben hatte: »Nachts wird der Seminarleiter umgebracht.«

Der Autor

Bodo Dringenberg, Jahrgang 1947, lebt seit 1972 in Hannover. Er veröffentlicht literarische Texte und sprachgeschichtliche Untersuchungen, schreibt für diverse Rundfunkanstalten und konzipiert kulturelle Veranstaltungen.
2007 erschien von ihm »Mord auf dem Wilhelmstein« im zu Klampen Verlag (1. und 2. Auflage).

Weitere Kriminalromane
herausgegeben von Susanne Mischke

Bodo Dringenberg
Mord auf dem Wilhelmstein
Ein historischer Kriminalroman
175 Seiten, Hardcover · ISBN 978-3-86674-041-9

Major Rottmann hat den Wilhelmstein, die genial konstruierte Festung im Steinhuder Meer, erfolgreich verteidigt – und stirbt doch von fremder Hand. Wer macht das Leben auf der Festung nach dem Krieg gefährlicher als im Krieg?

Günter von Lonski
BlattSchuss – Die ungewöhnlichen Fälle
des Ludger Lage · Kurzkrimis
127 Seiten, Hardcover · ISBN 978-3-933156-95-2

Ludger Lage lebt in einem alten Campingwagen am Arnumer See. Eine unvorteilhafte Scheidung hat ihn aus der Bahn und seiner Wohnung geworfen. Sein Hobby: Als selbsternannter Detektiv hinzuhören, wo andere wegsehen.

Egbert Osterwald
Schwarz Rot Blond
Kriminalroman
288 Seiten, Hardcover · ISBN 978-3-933156-96-9

Kommissarin Wilke fahndet nach einem Serienmörder, dem drei Frauen zum Opfer gefallen sind. Wird sie die Ermittlungen überleben?